Tendances
méthode de français
B1

Cahier d'activités

Jacques Pécheur - Jacky Girardet

CLE INTERNATIONAL

Direction éditoriale : Béatrice Rego
Marketing : Thierry Lucas
Édition : Charline Heid-Hollaender
Couverture : Miz'enpage ; Dagmar Stahringer
Conception maquette : Miz'enpage
Mise en page : Isabelle Vacher

Sommaire

Vocabulaire

1. Apprenez le vocabulaire.

Scolarité (n. f.) ....   Être à l'aise (v.) ....
Vernissage (n. m.) ....   Rendre compte (se) (v.) ....
Cancer (n. m.) ....   Basculer (v.) ....
Aveugle (n. m.) ....   Compliqué (adj.) ....
Chômeur (n. m.) ....   Paralysé (adj.) ....
Clochard (n. m.) ....   Intimidé (adj.) ....
Mensonge (n. m.) ....   Bloqué (adj.) ....
Long métrage (n. m.) ....   Gentiment (adv.) ....
Embrouiller (s') (v.) ....   Soigneusement (adv.) ....

2. Vérifiez la compréhension des témoignages (Livre de l'élève, p. 12). Attribuez les sentiments éprouvés par chacune des personnes.

	Élodie	Aurélien	Alexandre	Corine
a. Se sentir à l'aise				
b. Se sentir tout bête				
c. Avoir peur				
d. Être paralysé				
e. Être bloqué				
f. Ne plus se sentir soi-même				
g. Être intimidé				

3. EXPRIMER UN SENTIMENT. Associez les témoignages suivants à l'une des expressions verbales de l'exercice 2.

a. « J'ai l'impression que ce n'est pas moi. » → ....

b. « Je me sens bien dans ce que je fais. » → ....

c. « J'ai comme un complexe d'infériorité. » → ....

d. « Je ne peux plus rien faire ou dire. » → ....

e. « Je me trouve complètement idiot. » → ....

f. « Je suis effrayé à l'idée de parler. » → ....

4. Exprimez l'incompréhension avec « c'est quoi ? », « qu'est-ce que ça veut dire ? » ou « ça veut dire quoi ? ».

a. On a un partiel mardi. Tu as révisé ?

→ ....

b. Oui, mais je fais l'impasse sur le dernier chapitre du cours.

→ ....

c. Moi je m'en tape.

→ ....

d. Moi je passerai la session de rattrapage.

→ ....

e. Et moi, je crois que je vais tout simplement sécher !

→ ....

5. Remplacer un mot par un autre. Associez.

a. Un long métrage
b. Râler
c. Un interlocuteur
d. Un vernissage
e. Un automatisme
f. Une relation

1. Une ouverture d'exposition
2. Un lien / Une connaissance
3. Un film
4. Ne pas être content
5. Un réflexe
6. Un partenaire

Grammaire

1. Révisez l'emploi du passé composé. Répondez négativement au passé composé.

a. – Tu as vraiment appris le français ?
– Non, je n'ai pas vraiment appris le français.
b. – Tu t'es rendu compte de la difficulté ?
– Non, ...
c. – Tu as souvent dû parler en public ?
– Non, ...
d. – Tu es souvent allé en France ?
– Non, ...
e. – Tu as fait des séjours linguistiques ?
– Non, ...
f. – Mais tu as habité en France ?
– Non, ...

2. Révisez l'emploi du pronom personnel. Répondez affirmativement en remplaçant le nom par un pronom.

a. – Tu as rencontré Aurélien ?
– Oui, je l'ai rencontré.
b. – Tu as dit à Elodie de venir ?
– Oui, ...
c. – Tu as rappelé le rendez-vous à Alexandre ?
– Oui, ...
d. – Tu as inscrit Corine et Antoine pour la soirée ?
– Oui, ...
e. – Tu as donné l'adresse à Emmanuel et Adèle ?
– Oui, ...
f. – Tu as écouté le message de Maxime ?
– Oui, ...

Oral

N° 1 **1. Réécoutez l'audio de l'exercice 8 (Livre de l'élève, p. 13). Vérifiez votre compréhension.**
a. Relevez la définition de ces mots.
1. Drageoir : ....
2. Béotienne : ....
3. Pomponnette : ....
b. Classez les expressions.

Expressions qui expriment l'incompréhension	Expressions qui introduisent une explication
....	....
....	....

N° 2 **2. Parler une langue étrangère. Écoutez le micro-trottoir. Relevez ce qu'ils maîtrisent, ce qui est cause de difficultés et ce qu'ils souhaiteraient améliorer.**

	Maîtrise	Difficultés	Améliorations
Olivia			
David			
Nora			

Vocabulaire

1. Apprenez le vocabulaire.

Campagne
électorale (n. f.) ....
Engin (n. m.) ....
Mobilisation (n. f.) ....
Randonnée (n. f.) ....
Avalanche (n. f.) ....
Sélection (n. f.) ....
Falaise (n. f.) ....

Cime (n. f.) ....
Lune de miel (n. f.) ....
Reculer (v.) ....
Munir (se) (v.) ....
Exagérer (v.) ....
Indemne (adj.) ....
Chanceux (adj.) ....
Héliporté (adj.) ....

2. Voici l'information. Trouvez la rubrique.

a. Vent violent. Des dizaines de milliers de maisons sans électricité.

b. Les sept candidats à la primaire pour l'élection présidentielle se sont affrontés pour la première fois.

c. PSG ou Monaco : à qui le titre ?

d. Le « made in France » s'exporte bien grâce à Amazon.

e. 2e Biennale internationale du Goût à Lyon

f. Angoulême : dix albums pour un prix

1. Football

2. Bande dessinée

3. Tempête

4. Débat

5. Économie

6. Gastronomie

3. Transformez ces titres avec un substantif.

a. La commission enquête sur les paradis fiscaux. → ....

b. Un apprenti sur deux crée une entreprise. → ....

c. Métro La Chapelle : une coulée verte pour remplacer les grillages ? → ....

d. Le Cléac'h gagne le Vendée Globe 2017. → ....

e. Le disque vinyle revient à la mode. → ....

f. Paris : la première salle d'escalade en bloc ouvre ses portes à Paris. → ....

4. Dans cet article, trouvez le sens des mots surlignés d'après le contexte.

C'est d'actu ! Le Prince charmant

Le Prince charmant est un mythe qui cartonne encore. La figure un brin désuète de ce jeune homme providentiel reste très présente au cinéma et dans la littérature. Quelles sont les raisons d'un tel succès ?

Dans *Un jour mon prince*, de Flavia Coste, en ce moment au cinéma, des fées sont envoyées à Paris pour dégotter le prince moderne qui réveillera la Belle au bois dormant. Dans *Belle dormant*, d'Ado Arietta, un jeune prince indolent (Niels Schneider) ne rêve que d'aller réveiller la princesse du royaume d'à-côté, au mépris de son père… Un vrai engouement pour les princes, tandis qu'Hollywood n'en finit pas de ripoliner des contes de fées, de *Blanche-Neige* à *La Belle et la Bête*.

Version Femina, janvier 2017

a. cartonne : ....

b. désuète : ....

c. providentiel : ....

d. dégotter : ....

e. engouement : ....

f. ripoliner : ....

5. Relisez l'article « Il tombe d'une falaise de 1 200 mètres et s'en sort indemne ! » (Livre de l'élève, p. 14). Regroupez tous les mots dont le sens a un rapport avec le mot « chute ».

chute, falaise, ...

....

6. Voici un poème de Prévert qui contient des rapprochements de mots qui changent le sens. Identifiez-les.

Malgré moi
Embauché malgré moi dans l'usine à idées
j'ai refusé de pointer
mobilisé de même dans l'armée des idées
j'ai déserté
je n'ai pas compris grand-chose
il n'y a jamais grand-chose
ni petite chose
il y a *autre chose*.

Autre chose
c'est ce que j'aime qui me plaît
et que je fais.

Jacques Prévert, « Malgré moi », in *Choses et autres*, Gallimard, 1972.

....

....

Oral

1. Écoutez les nouvelles du jour à la radio. Relevez et classez ces informations.

N° 3

Domaine	De qui parle-t-on ?	De quoi ?	Mode de présentation

Oral

1. Écoutez. Distinguez les enchaînements entre voyelles et consonnes, voyelles et voyelles et les liaisons.

a. Si on allait au cinéma ensemble ?

b. Quoi ? Y aller à trois ?

c. Pourquoi ? Tu veux y aller en amoureux ?

d. Et on irait en matinée ?

e. C'est à voir !

f. Et quel film il y a ?

g. *On ira tous au Paradis* ou *Les mal aimées...*

2. Écoutez : ces phrases ont le même son, pas le même sens. Trouvez les groupes rythmiques pour les distinguer à l'oral.

a. Têtu dit
T'es-tu dit...

b. Tu m'amuses
Tue ma muse

c. Va-t-en insouciant
Va temps insouciant

d. T'es toi
Tais-toi

3. Écoutez le dialogue. D'après l'intonation que vous entendez, dites si l'interprétation de la phrase est juste ou fausse.

	VRAI	FAUX
a. 1. Pierre est sûr de lui.	❑	❑
2. Léo confirme.	❑	❑
b. 1. Léo fait semblant d'y croire.	❑	❑
2. Pierre ignore ce qui va se passer.	❑	❑
3. Mais il y croit car il la connaît bien.	❑	❑
c. 1. Léo fait l'hypothèse qu'elle ne vienne pas.	❑	❑
2. Pierre menace.	❑	❑
d. 1. Léo invite positivement Pierre à renouveler son invitation.	❑	❑
2. Pierre refuse.	❑	❑

N° 7

4. Écoutez. Dites si on parle d'un métier d'homme(s), de femme(s) ou si on ne sait pas. Cochez.

Métiers

	Homme(s)	Femme(s)	On ne sait pas
Les chercheurs			
L'athlète			
Le producteur			
Des avocats			
L'artiste			
Les employés			
L'ingénieur			
Des médecins			
Des serveuses			
Une directrice			
Un chauffeur			
Un graphiste			
Le boulanger			
La traductrice			
L'intellectuelle			
L'interprète de la conférence			

N° 8

5. Distinguez les sons proches. Écoutez et notez ce que vous entendez.

Vie quotidienne

a. Il prend...   ❏ une touche.   ❏ une douche.

b. Il fait son jardin avec... ❏ un râteau.   ❏ un radeau.

c. Il répare...   ❏ le doigt.   ❏ le toit.

d. J'utilise...   ❏ un balai.   ❏ un palais.

e. Elle lave...   ❏ les fers.   ❏ les verres.

f. J'attends   ❏ le buse.   ❏ le bus.

N° 9

6. Écoutez : écrivez la liste.

Shopping

Il faut que j'achète...

....

....

....

....

....

Vocabulaire

1. Apprenez le vocabulaire.

Batterie (n. f.) ....
Pote (n. m.) ....
Saladier (n. m.) ....

Rénovation (n. f.) ....
Embarquer (v.) ....
Favorable (adj.) ....

2. Lisez. Distinguez écrit familier, écrit formel, oral familier et oral formel.

a. Au fait, tu débarques à quelle heure ? → ....

b. Merci de me préciser votre heure d'arrivée... → ....

c. Ok, on garde le contact... → ....

d. Je vous laisse le soin d'appeler mon secrétariat pour fixer un nouveau rendez-vous.

→ ....

e. Allô, le cabinet du docteur Gailland ? C'est pour mes résultats d'analyse... → ....

f. Je vous serais reconnaissant de bien vouloir m'accorder un rendez-vous quand vous le jugerez opportun.

→ ....

g. toublipas A+... BiZ → ....

h. Salut Alex...Tu as confirmé le RDV avec les partenaires du projet ? → ....

3. Évitez les répétitions. Remplacez les mots soulignés par des pronoms.

À voir : **Vu du Pont** *d'Arthur Miller, mise en scène par Ivo van Hove. Odéon Théâtre de l'Europe.*
Jusqu'au 4 février 2017.

Drôle de personnage, Eddie Carbone. C'est le nom du héros de la pièce. L'homme a une obsession : la réussite de sa nièce Catherine. Mais la jeune fille va désobéir à Eddie Carbone et décevoir Eddie Carbone. Catherine rencontre alors Rodolfo. Rodolfo est émigré clandestin et amoureux de Catherine. Eddie devient jaloux de Rodolfo. Il interdit à Catherine et Rodolfo de se marier... Le drame se noue... Charles Berling est bouleversant dans le rôle d'Eddie Carbone qui a valu à l'acteur le Molière de meilleur comédien. Il mérite bien cette récompense.

....
....
....
....
....
....

4. Évitez les répétitions. Remplacez les mots soulignés par des substituts ou des pronoms démonstratifs.

Profession : Web-Cupidon

Cette fille-ci, trop chic ; cette fille-là, pas son genre ; les photos de candidats célibataires défilent sur l'ordinateur de Guillaume. En quelques secondes, Guillaume sélectionne la jeune femme qui devrait plaire à F. Cupidon numérique, Guillaume est *matchmaker*, autrement dit en français, entremetteur. Il travaille pour une application spécialisée dans les rencontres. C'est Guillaume qui choisit dans la sélection le profil qui devrait plaire à F. Lourde responsabilité pour notre Guillaume. Pendant 24 heures, les deux célibataires pourront accéder au profil l'un de l'autre. Si les deux célibataires se « likent » au moins une fois, le *match* est considéré comme réussi.

....

....

....

....

....

....

....

Grammaire

1. RÉCIT. Complétez avec des mots grammaticaux (prépositions, pronoms relatifs, mots interrogatifs, etc.).

Des idées dans les talons

a. Tout commence .... 1970. Robert Clergerie est engagé .... Charles Jourdan, chausseur de luxe. En 1978, diplômé d'une école de commerce, il s'installe .... Romans-sur-Isère, la capitale française .... la chaussure et lance une marque .... son nom.

b. La question .... se pose à lui, c'est .... on peut faire autre chose, ... se situer par rapport à la concurrence, ... sont les modèles .... l'on peut proposer.

c. C'est donc sous son nom .... il va commercialiser, ... les femmes, des chaussures .... empruntent au vestiaire masculin : derbys, richelieus, etc. Le succès sera immédiatement .... rendez-vous.

2. ARGUMENTER. Complétez avec les mots qui permettent d'organiser les idées.

ensuite ; de plus ; enfin ; d'abord ; donc ; en effet

Contre le prédicat et vive le complément d'objet direct !

Cette fois, la guerre est déclarée ! ...., le ministre de l'Éducation nationale a décidé d'imposer de nouvelles notions dans l'apprentissage de la grammaire. Une bien mauvaise idée si l'on en croit les enseignants. .... c'est une notion abstraite, une idée de linguiste inutile pour le pédagogue ; .... les enseignants ne sont pas formés à ces nouvelles notions ; ...., les enfants, qui maîtrisent de moins en moins bien la langue, vont être complètement perdus. .... ces notions sont comme les modes, elles disparaissent aussi vite qu'elles apparaissent... un vrai cimetière ! Un conseil, Madame la Ministre : laissez .... tranquille ce bon vieux complément d'objet et ses petits camarades indirects ou de circonstances... On vous en remerciera !

Vocabulaire

1. Apprenez le vocabulaire.

Loterie (n. f.) ....
Cagnotte (n. f.) ....
Gain (n. m.) ....
Entretien (n. m.) ....
Dermatologue (n. m.) ....
Intention (n. f.) ....
Dette (n. f.) ....
Scolarisation (n. f.) ....

Gérer (v.) ....
Décrocher (v.) ....
Écraser (s') (v.) ....
Énorme (adj.) ....
Factice (adj.) ....
Pressé (adj.) ....
Particulier (adj.) ....
Embarrassé (adj.) ....

2. Vérifiez la compréhension de l'article (Livre de l'élève, p. 22). Retrouvez les informations suivantes.

a. De quoi s'agit-il ?
....

b. Qui sont les protagonistes ?
....

c. Où ça se passe ?
....

d. Avec quelles conséquences ?
....

3. Dans l'article et les commentaires (Livre de l'élève, p. 22), retrouvez le vocabulaire lié à l'argent.
....
....
....

4. Parler argent. Complétez avec un mot du vocabulaire trouvé dans l'exercice 3.

a. Cette année, ses .... se sont élevés à 45 000 euros.

b. Au concours de ski, il a .... le premier prix.

c. Pour payer le loyer, j'ai fait .... de 800 euros.

d. Ils veulent s'offrir un séjour aux Antilles, ils font .... où ils mettent 150 euros par mois.

e. Il a beaucoup dépensé sans faire attention, maintenant il a des ....

f. Au contraire, elle, elle a fait attention avec son argent, elle a bien .... son argent.

5. Employez maintenant les verbes et substantifs ayant rapport à l'argent dans d'autres situations.

a. Il m'a trahi, je vais lui faire ....

b. Dans cette situation difficile, il a bien su .... le conflit.

c. Pour .... la paix sociale dans l'entreprise, le directeur a accepté de donner des augmentations.

d. Elle voulait du spectacle, elle en a eu pour son ....

e. Il a été obligé de céder sur ce point, il ne peut pas .... à tous les coups.

Grammaire

1. Conjuguez au conditionnel.

Si vous gagniez à la loterie...

a. Acheter : J'.. une grande maison à la campagne.

b. Aller : Nous .... tous les jours au restaurant.

c. Être : Je .... très contente.

d. Venir : Nous .... tous les ans à Paris.

e. Faire : Je .... un grand voyage.

f. Travailler : Je ne .... plus.

2. Conjuguez au conditionnel.

a. À LA CAMPAGNE. Nous *(se promener)* .... s'il faisait beau.

b. AU TRAVAIL. Vous *(gagner)* .... plus, si vous travailliez plus.

c. EN VACANCES. Il *(faire)* .... plus de sport, s'il se levait plus tôt.

d. AU SUPERMARCHÉ. Ils *(acheter)* .... plus, s'ils avaient plus d'argent.

e. À L'ÉCOLE. Vous *(avoir)* .... de meilleures notes, si vous faisiez plus attention.

f. AU CINÉMA. Tu *(aller)* .... plus souvent si tu avais plus de temps.

3. Faites des suppositions.

a. Si j'étais acteur, elle me *(regarder)* ....

b. Si j'étais écrivain, j'*(écrire)* .... des romans.

c. Si nous ouvrions un bar, tu *(faire)* .... des cocktails.

d. Si vous travailliez plus pour l'association, vous *(devenir)* .... rapidement son président.

e. Si tu acceptais ce travail, nous *(avoir)* .... plus d'argent.

f. Si j'étais professeur, j'*(organiser)* .... des cours à distance par internet.

Oral

1. LE [ə] DANS LA PRONONCIATION DU CONDITIONNEL. Écoutez. Notez les [ə] prononcés ou non prononcés.

N° 10   *Rêve de vacances*

a. Nous passerions le premier de l'an en Polynésie.
b. Nous nous installerions dans une habitation traditionnelle.
c. On volerait d'île en île.
d. Je ferais du bateau.
e. Tu commencerais à écrire.
f. On reviendrait sans revenir.

2. Transformez au conditionnel comme dans l'exemple.

N° 11   *Avenir*

a. Moi si on me fait une proposition sérieuse, je pars.
→ **Si on te faisait une proposition sérieuse, tu partirais ?**

b. Si on m'offre un bon salaire, je change de job.
→ ....

c. Si on vient me chercher avec un projet nouveau, je n'hésite pas.
→ ....

d. Si le projet plaît, nous créons une entreprise.
→ ....

e. Si l'entreprise gagne de l'argent, je peux réaliser mon rêve...
→ ....

f. Si je réalise mon rêve, elle vient me rejoindre.
→ ....

Écrit et civilisation

1. Lisez l'article et répondez aux questions.

Jeux de hasard : les Français jouent plus, plus souvent, plus d'argent

Loto, paris sportifs, poker, courses hippiques, casino… La fièvre du jeu gagne les Français qui dépensent de plus en plus d'argent dans ces pratiques.

Les Français sont de plus en plus nombreux à jouer, ils jouent plus souvent, de plus en plus d'argent, et de plus en plus de jeunes s'y adonnent, tandis que le nombre de joueurs addicts ne diminue pas.

Loto, courses hippiques, poker en ligne... Plus de la moitié des Français (56,2 %) a joué au moins une fois à un jeu en 2014, note l'Observatoire des Jeux (ODJ). […] Cette augmentation « concerne tous les milieux sociaux », est « générale et assez homogène », même si elle est « un peu plus importante parmi […] les femmes (+11 %) et les personnes les plus jeunes et les plus âgées (+12,4 % pour les 15-17 ans, +11,5 % pour les 45-75 ans) ». Depuis 2010, l'offre de jeu s'est étoffée avec notamment la légalisation du poker, des paris sportifs et hippiques en ligne. « La publicité sur ces nouveaux jeux en ligne a pu contribuer à l'augmentation des pratiques des jeux traditionnels », relève Jean-Michel Costes. Dans l'année qui a suivi cette légalisation, environ 350 millions d'euros ont été dépensés en campagnes publicitaires par les opérateurs.

Le profil du « joueur-type » se dessine. Qui joue le plus souvent ? « Les hommes, âgés de 25 à 54 ans, professionnellement actifs ». Davantage les ouvriers et employés que les cadres ou les professions intellectuelles supérieures. « Les joueurs ont un niveau d'éducation un peu moins élevé que celui des non joueurs », résume l'étude.

Chaque jeu a son public : les femmes sont plus représentées parmi les pratiquants de jeux de grattage (54,9 %), les étudiants sont plus des parieurs sportifs (26,5 %) et des joueurs de casino ou de poker (respectivement 17,8 % et 13,8 %), les ouvriers aiment les courses quand les employés grattent et que les cadres, artisans et chefs d'entreprises sont plus adeptes des jeux de casino.

Beaucoup jouent plus souvent et misent davantage. […] « Il y a également une intensification des dépenses : la part des joueurs dépensant dans l'année plus de 1 500 euros passe de 1,8 % à 7,2 % ».

L'ODJ pointe une tendance inquiétante : malgré l'interdiction de la loi, les mineurs jouent, et ils sont de plus en plus nombreux. « Près d'un jeune sur trois joue à des jeux d'argent. On voit bien que l'interdiction n'est pas effective », commente l'expert, ajoutant que, de surcroît, « lorsqu'ils jouent, les jeunes sont deux fois plus problématiques ».

BFM, 17/04/2015.

a. Quels sont les jeux préférés des Français ?

....

b. À quoi correspondent ces chiffres ?

1. 56,2 % : ....

2. 1 500 € : ....

c. À quel public correspondent ces jeux ?

1. Jeux de grattage : ....

2. Paris sportifs : ....

3. Jeux de casinos : ....

4. Poker : ....

5. Courses : ....

d. Qui est le joueur type ?

....

e. Il existe une tendance inquiétante concernant les jeunes, laquelle ?

....

Vocabulaire

1. Apprenez le vocabulaire.

Poussée (n. f.) ....
Équipement (n. m.) ....
Marchandisation (n. f.) ....
Dotation (n. f.) ....
Collectivité (n. f.) ....
Sacrifice (n. m.) ....
Écrin (n. m.) ....
Invasion (n. f.) ....

Secteur (n. m.) ....
Subvention (n. f.) ....
Rebaptiser (v.) ....
Désigner (v.) ....
Rapporter (v.) ....
Combler (v.) ....
Adosser (s') (v.) ....

2. Vrai ou Faux ? Vérifiez la compréhension de l'article (Livre de l'élève, p. 24).

	VRAI	FAUX
a. Le Parc des Princes pourrait changer de nom.	☐	☐
b. Le « parrainage » ou « naming » est en train de se développer en France.	☐	☐
c. Le POPB s'appelle aujourd'hui « Accor hôtels arena POPB ».	☐	☐
d. La marchandisation des espaces vient combler une baisse des dotations de fonctionnement.	☐	☐
e. Cette vente des espaces publics est considérée comme normale par les collectivités.	☐	☐
f. La culture échappe encore à cette marchandisation.	☐	☐

3. Remplacez chacun des verbes suivants de l'article par un verbe ayant le même sens (Livre de l'élève, p. 24).

a. rebaptiser → ....
b. désigner → ....
c. dire → ....
d. rapporter → ....

e. combler → ....
f. offrir → ....
g. s'adosser → ....
h. imaginer → ....

4. Associez les actions aux verbes.

a. Élire le président
b. Manifester contre un projet de loi
c. Mobiliser l'armée
d. Choisir le Premier ministre
e. Réclamer des mesures
f. Adopter une loi

1. Protester
2. Négocier
3. Nommer
4. Choisir
5. Voter
6. Intervenir

5. Dites-le autrement. Reformulez.

a. Le président de la République a été battu. → **Défaite du président de la République**
b. Les syndicats protestent contre la loi Travail. → ....
c. Le Premier ministre intervient à la télévision. → ....
d. La majorité adopte une nouvelle loi sur la sécurité. → ....
e. Le gouvernement négocie avec les médecins. → ....
f. De nouveaux présidents de régions ont été élus. → ....

Grammaire

1. DEMANDER DES PRÉCISIONS SUR UN LIVRE. Trouvez les questions correspondant aux réponses suivantes.

a. .... ?

→ Le livre s'appelle *Le monde va beaucoup mieux que vous ne le croyez !*

b. .... ?

→ C'est un livre qui a pour but de proposer un regard à la fois optimiste et réaliste vis-à-vis de la marche du monde.

c. .... ?

→ Ce n'est pas le livre d'un homme politique, c'est le livre d'un psychologue, Jacques Lecomte.

d. .... ?

→ Jacques Lecomte a écrit ce livre pour montrer les progrès réalisés par l'humanité depuis quinze ans.

e. .... ?

→ Il s'appuie sur les chiffres de l'ONU, de l'OMS, de la Banque mondiale, de l'UNICEF...

f. .... ?

→ Il y a un bon accueil dans la presse et le livre connaît un très bon accueil du public.

Oral

N° 12

1. Réécoutez les extraits de radio de l'exercice 6 (Livre de l'élève, p. 25) et vérifiez votre compréhension. Complétez avec les mots et les noms propres du document sonore.

a. Les Français ont voté pour élire ....

b. L'armée française est intervenue à la demande ....

c. .... personnes ont manifesté en ....

d. .... a été nommé Premier ministre.

e. Une loi a été votée par ....

f. Les Français ont élu ....

g. .... protestent contre la concurrence des VTC.

h. .... salariés étaient dans les rues de ....

N° 13

2. COMPRENDRE UNE INFORMATION POLITIQUE À LA RADIO. Écoutez et répondez en cochant la bonne réponse.

	VRAI	FAUX	ON NE SAIT PAS
a. L'information date d'octobre 2016.	❑	❑	❑
b. Wonder Woman devient ambassadrice honoraire de l'ONU.	❑	❑	❑
c. Wonder Woman animera pendant un an une campagne sur l'émancipation des femmes et des filles.	❑	❑	❑
d. Le personnel de l'ONU et les organisations féministes se sont réjouis de cette nomination.	❑	❑	❑
e. Des hommes et des femmes ont protesté contre cette nomination.	❑	❑	❑

Écrit et civilisation

1. Lisez l'article et répondez aux questions.

Elle a sauvé la dernière fabrique artisanale de bérets

Rosabelle Forzy a repris les bérets « Laulhère », il y a cinq ans. Un succès pour cette entrepreneuse trentenaire.

Le béret symbolise la France aux yeux du monde entier. Pourtant, il a bien failli disparaître de l'Hexagone. En 2012, la manufacture historique de bérets Laulhère est à l'agonie. [...] « *J'ai alors fait une proposition de reprise*, explique Rosabelle Forzy, la présidente-directrice générale. *Cela aurait été vraiment triste de perdre cette entreprise vieille de cent quatre-vingts ans et au savoir-faire unique.* » Rosabelle Forzy relance alors la production et reprend le nom du fondateur, Laulhère, nettement plus glamour que le nom utilisé jusqu'alors : Beatex. [...] « *À l'époque, on vendait beaucoup d'écussons et de marques différentes. Nous avions plus de 100 000 produits différents. J'ai décidé de tout unifier et d'avoir une identité forte pour que tout un chacun comprenne qu'un béret, ça n'a rien à voir avec ce que vous pouvez acheter 4 € dans les boutiques à touristes* », explique la dynamique trentenaire. Effectivement. La marque a ouvert en décembre une boutique rue du Faubourg-Saint-Honoré (Paris VIIIᵉ),

en plein cœur du prestigieux Triangle d'or parisien de la mode. Mais aussi un point de vente éphémère cet hiver à Courchevel (Savoie), où le béret le plus simple de Laulhère est vendu 95 € et où les modèles « mode » avec broderies, sequins ou voilettes peuvent atteindre jusqu'à 1 200 €.
« *Il faut entre deux jours et demi et trois jours pour faire un seul béret, souligne Rosabelle Forzy. On part de la laine vierge mérinos et on la tricote, on la remaille.* » Se succèdent les étapes du feutrage à l'eau, de la teinture, du grattage... « *Puis on l'enforme, on le tond, on le bichonne... Et c'est à ce moment-là que l'on voit s'il est réussi. À ce stade, deux sur dix sont mis de côté parce qu'il y a des impuretés ou de la paille.* » [...]
De 35 en 2014, l'entreprise est ainsi passée à 48 salariés aujourd'hui. Elle produit 250 000 bérets par an. [...] « *Hier, un monsieur a acheté 28 bérets bleu marine pour les emmener au Viêt Nam* » se félicite la vendeuse. « *Les modèles classiques en noir, gris et bleu sont régulièrement en rupture de stock. Mais le best-seller, c'est le béret noir à paillettes. « Beaucoup de touristes viennent acheter un béret, cet emblème de la France*, se réjouit Rosabelle Forzy, *mais aussi des Parisiens qui aiment cet accessoire.* »

Adeline Daboval, *Le Parisien*, 17 février 2017.

a. Cherchez le sens des mots suivants.

1. écussons : ....

2. broderie : ....

3. sequins : ....

4. tricoter : ....

5. remailler : ....

6. feutrage : ....

7. grattage : ....

8. bichonner : ....

b. Que représente le béret ?
....

c. Quel est le nom de l'entreprise de béret ?
....

d. Quelle est la particularité de cette entreprise ?
....

e. Quelle a été l'action de Rosabelle Forzy ?
....

f. Quelles sont les différentes étapes de la fabrication d'un béret ?
....

g. À quoi reconnait-on aujourd'hui le succès du béret ?
....

Vocabulaire

1. Apprenez le vocabulaire.

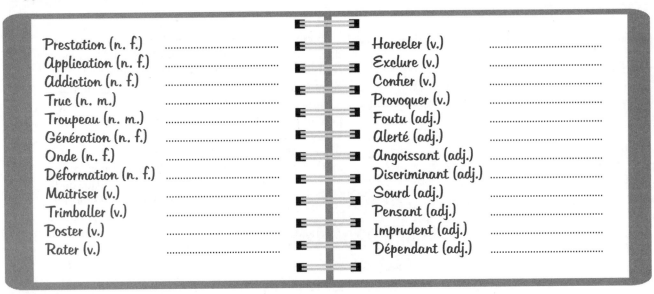

Prestation (n. f.) ....
Application (n. f.) ....
Addiction (n. f.) ....
Truc (n. m.) ....
Troupeau (n. m.) ....
Génération (n. f.) ....
Onde (n. f.) ....
Déformation (n. f.) ....
Maîtriser (v.) ....
Trimballer (v.) ....
Poster (v.) ....
Rater (v.) ....

Harceler (v.) ....
Exclure (v.) ....
Confier (v.) ....
Provoquer (v.) ....
Foutu (adj.) ....
Alerté (adj.) ....
Angoissant (adj.) ....
Discriminant (adj.) ....
Sourd (adj.) ....
Pensant (adj.) ....
Imprudent (adj.) ....
Dépendant (adj.) ....

2. Associez le mot et l'explication.

a. L'addiction

b. La modération

c. La résistance

d. Le harcèlement

e. La discrimination

f. L'exclusion

1. Faire les choses sans excès.

2. Faire subir avec insistance des actions répétées.

3. Besoin / Désir toujours plus intense d'une même chose.

4. Chasser quelqu'un d'un groupe.

5. Capacité à supporter des épreuves.

6. Séparer d'un groupe et traiter quelqu'un de manière particulière.

3. Du verbe au substantif. Complétez.

a. Maîtriser → Il faut avoir .... de son temps.

b. Modérer → À consommer avec .... !

c. Alerter → Donner .... en cas de danger.

d. Harceler → .... au travail est interdit.

e. Gérer → .... de l'utilisation de son smartphone, ça s'apprend !

f. Exclure → Ne pas maîtriser les technologies peut donner un sentiment d'.. .

4. Caractérisez avec les adjectifs de la liste. Complétez.

imposant ; confiant ; discriminant ; imprudent ; dépendant ; provoquant

a. Il ne fait attention à rien : il est ....

b. Il faut toujours que l'on s'occupe d'elle : elle est ....

c. Il apparaît toujours très sûr de lui : il est .... en son pouvoir de séduction.

d. Il veut toujours déstabiliser les gens : il est ....

e. Il pointe en permanence les différences : il est ....

f. Par sa taille, il inspire le respect : il est ....

Grammaire

1. EXPRIMER LE DOUTE OU LA CERTITUDE. **Reformulez selon le modèle.**

Avenir

a. Les choses s'améliorent. J'en suis sûr. → **Je suis sûr que les choses s'amélioreront.**

b. Le monde devient de plus en plus dangereux. C'est possible.

→ ....

c. L'espérance de vie grandit. J'en suis certain.

→ ....

d. La forêt s'étend de nouveau. Cela se pourrait.

→ ....

e. Les étés sont moins chauds. J'en doute.

→ ....

f. On aura une biodiversité moins bien protégée. C'est probable.

→ ....

2. **Mettez les verbes à la forme qui convient.**

C'est elle ou ce n'est pas elle ?

– On dirait l'actrice qui jouait dans la pièce hier soir...

– Tu te trompes. Je ne suis pas sûr que ce *(être)* .... elle.

– Eh bien moi, j'ai la certitude que c'*(être)* .... elle.

– Ce qui est sûr c'est qu'elle *(sembler)* .... plus âgée que dans la pièce.

– Il est probable qu'elle *(mettre)* .... beaucoup de maquillage à cause de la lumière.

– Tiens, elle est seule... Il se peut qu'elle *(attendre)* .... quelqu'un.

– Si c'est elle, il est peu probable qu'elle *(prendre)* .... un verre, seule, dans un bar.

3. LES PRONOMS DES 1RE ET 2^E PERSONNES. **Complétez le dialogue avec un pronom du tableau.**

	Les pronoms des 1re et 2e personnes		
	Le pronom remplace un nom complément direct.	Le pronom remplace un nom complément indirect introduit par *à*.	Le pronom remplace un nom complément indirect introduit par une autre préposition.
je	me	me	moi
tu	te	te	toi
nous	nous	nous	nous
vous	vous	vous	vous

Invitation

Léo : Vous êtes libres samedi soir, Laurent et toi ?

Léa : Oui, je crois. Pourquoi ?

Léo : Je .... invite.

Léa : Tu .... invites ? À quelle occasion ?

Léo : Surprise ! Donc je peux compter sur .... ?

Léa : Tu peux compter sur .... ! Mais il faut que je demande à Laurent. Je .... appelle ce soir.

Léo : Ce soir, je vais au cinéma. Je préfère que tu .... envoies un texto.

Léa : D'accord. Dès que Laurent .... a confirmé, je .... envoie un texto.
On .... apporte quelque chose ?

Léo : Non, rien. Je veux .... faire une surprise.

Oral

1. Vérifiez la compréhension de la séquence radio : « Peut-on se passer du téléphone portable ? »
(Livre de l'élève, p. 26).
N° 14   Écoutez et dites si ces réponses sont vraies ou fausses.

	VRAI	FAUX
a. Dans deux ou trois ans, on ne pourra plus se passer de téléphones portables.	☐	☐
b. Ça va être de plus en plus facile de maîtriser l'outil.	☐	☐
c. Maîtriser l'outil, c'est faire que ce ne soit pas un animal de compagnie.	☐	☐
d. Phil Marso a un smartphone qu'il n'utilise que pour communiquer avec son entreprise.	☐	☐
e. Le meilleur argument pour ne plus utiliser son smartphone, c'est préserver sa vie privée.	☐	☐
f. Avec le smartphone, il n'y a plus de frontière entre vie privée et vie publique pour la jeune génération.	☐	☐
g. Un adolescent n'a aucune raison de se sentir exclu s'il n'a pas de portable.	☐	☐

2. Écoutez. Dites si vous entendez [pl] – [bl] – [pr] ou [br]. Cochez.
N° 15 *Micro-trottoir*

	[pl]	[bl]	[pr]	[br]
a. Ce programme de télé te plaît ?				
b. Oui, c'est une véritable nouveauté.				
c. Quel brio, cette animatrice !				
d. Très professionnelle !				
e. Simple et agréable...				
f. Et libre !				

3. Indicatif ou subjonctif ? Transformez.
N° 16
a. Il viendra. J'en suis sûr.
→ **Je suis sûr qu'il viendra.**
b. Nous partirons demain. C'est possible.
→ ....
c. Il s'en ira. Je le pense.
→ ....
d. Vous sortirez ? C'est impossible !
→ ....
e. Elle restera. J'en suis certain !
→ ....
f. Nous nous promènerons. J'en doute !
→ ....

Vocabulaire

1. Apprenez le vocabulaire.

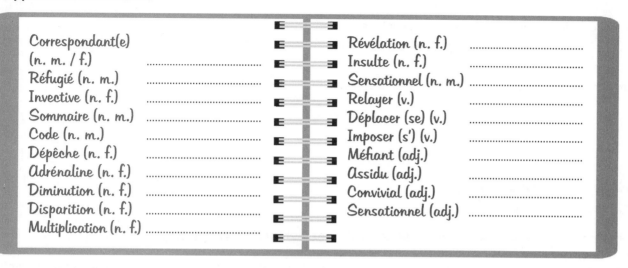

Correspondant(e) (n. m. / f.)	Révélation (n. f.)
Réfugié (n. m.)	Insulte (n. f.)
Invective (n. f.)	Sensationnel (n. m.)
Sommaire (n. m.)	Relayer (v.)
Code (n. m.)	Déplacer (se) (v.)
Dépêche (n. f.)	Imposer (s') (v.)
Adrénaline (n. f.)	Méfiant (adj.)
Diminution (n. f.)	Assidu (adj.)
Disparition (n. f.)	Convivial (adj.)
Multiplication (n. f.)	Sensationnel (adj.)

2. Vérifiez la compréhension du reportage vidéo (Livre de l'élève, p. 28).

a. Remplissez la fiche d'identité d'Annie Gasnier.

- Profession actuelle : ....
- Région du monde où elle a exercé : ....
- Presse écrite pour laquelle elle a travaillé : ....
- Chaînes de radios où elle a travaillé : ....
- Programme qu'elle anime actuellement : ....

b. Quel est le lien de son émission avec l'Afrique ?

....

c. Comment travaille l'équipe de l'émission ?

....

3. Informer et s'informer. Complétez.

a. Elle travaille à Pékin pour le journal *Le Monde* ; elle est .... du journal.

b. Elle travaille aussi pour l'agence de presse, l'AFP ; elle envoie à l'agence des ....

c. Avant de commencer l'émission, la journaliste établit .... c'est-à-dire l'ordre du développement des informations.

d. À la radio, les correspondants envoient des .... sur des sujets d'actualité.

e. Il écoute souvent la radio. C'est .... fidèle.

f. Il aime beaucoup .... Radio Foot International.

4. Caractérisez.

a. Il est fidèle à l'émission. C'est un auditeur ....

b. La journaliste vérifie toujours l'information ; elle est ....

c. Le ton de l'émission se veut proche de l'auditeur ; il est ....

d. L'émission passe tous les jours, elle est ....

e. Les journalistes et les auditeurs aiment le football ; ils sont ....

f. Les auditeurs et les lecteurs attendent une information ...., une information qui s'appuie sur des faits.

5. Méfiance ou confiance ? Qu'expriment-ils quand ils disent... ?

	Confiance	Méfiance
a. L'équipe se sent bien… c'est bon signe pour le match de dimanche.	❏	❏
b. Il ne travaille pas assez ; il est trop sûr de lui.	❏	❏
c. Elle demande toujours des explications supplémentaires.	❏	❏
d. Une fois qu'elle t'a donné ses instructions, elle te laisse faire.	❏	❏
e. Il veut tout faire par lui-même.	❏	❏
f. Elle appelle dix fois pour avoir confirmation… c'est très pénible.	❏	❏

Grammaire

1. LES PRONOMS DE LA 3ᴱ PERSONNE REPRÉSENTANT LES CHOSES. Réécrivez les réponses à l'enquête : utilisez un pronom pour éviter la répétition.

Les pronoms de la 3ᵉ personne représentant les choses		
	il / elle	**ils / elles**
Le pronom remplace un complément direct défini.	le / la	les
Le pronom remplace un complément direct introduit par : **– un article partitif ou un mot de quantité ;** **– un article indéfini.**	en	
Le pronom remplace un complément indirect introduit par *à*.	y	
Le pronom remplace un complément indirect introduit par *de*.	en	

Enquête sur les habitudes de lecture

a. – Vous lisez beaucoup de journaux ?

　– Je ne lis pas beaucoup de journaux.

　→ **Non, je n'en lis pas beaucoup.**

b. – Vous achetez le quotidien régional ?

　– J'achète régulièrement le quotidien régional.

　→ ....

c. – Vous lisez un quotidien national ?

　– Oui, je lis un quotidien national : *Le Monde*.

　→ ....

d. – Vous regardez les chaînes d'informations ?

　– Oui, je regarde les chaînes d'informations.

　→ ....

e. – Vous connaissez la chaîne BFMTV ?

　– Non, je ne connais pas la chaîne BFMTV.

　→ ....

f. – Vous vous intéressez aux nouvelles internationales ?

　– Oui, je m'intéresse aux nouvelles internationales.

　→ ....

Écrit

1. Lisez l'article et répondez aux questions.

Les médias face à une crise de confiance généralisée

Chaque année le quotidien *La Croix* publie son baromètre sur la confiance des Français envers les médias. Pour l'édition 2017, la tendance à la défiance, amorcée depuis 2015, se confirme. Cette crise de confiance apparaît comme un enjeu primordial pour les médias.

[…] Pour la première fois depuis la mise en place du baromètre, tous les médias ont enregistré deux années consécutives de baisse de confiance. […] Cette année, la radio atteint son plus bas niveau historique (seulement 52 % des sondés croient que les choses se sont passées comme la radio le raconte), tout comme la télévision (41 %), la presse écrite et Internet, eux atteignent un plancher minimum (44 % et 26 %). […]

Si la télévision et Internet sont les médias en lesquels les sondés ont le moins confiance, ils sont pourtant les deux moyens d'information principalement utilisés. […] Sur le net, les sites et applications mobiles des titres de presse sont les plus plébiscités puisque 35 % des utilisateurs réguliers en font leur source principale d'information, suivis des réseaux sociaux, qui progressent de 5 points pour s'établir à 24 % des utilisateurs réguliers d'Internet. Le baromètre met en évidence un premier paradoxe concernant l'usage des réseaux sociaux. Car s'ils deviennent, en effet, la première source d'information pour de plus en plus d'internautes, 73 % des sondés disent ne pas faire confiance aux informations qui y circulent. […]

Comment retrouver la confiance perdue ? […] « *Pour rétablir la confiance, il faut en être digne et aller sur le terrain pour capter la parole des gens, et pas forcément des plus caricaturaux* », avance de son côté Michèle Léridon, directrice de l'information de l'AFP*. Le fact-checking, les échanges avec les lecteurs, et l'éducation aux médias au niveau scolaire ont également été avancés comme solutions potentielles. […]

Alexandre Foatelli, *Ina Global*, 03/02/2017.

*AFP : Agence France Presse

a. Quelle est la source de l'article ?

....

b. À quoi correspondent ces quatre chiffres ?

1. 2 % → ....

2. 41 % → ....

3. 44 % → ....

4. 26 % → ....

c. Relevez les trois paradoxes.

1. À propos de la télévision et d'internet :

....

2. Concernant la presse :

....

3. S'agissant des réseaux sociaux :

....

d. Quelles sont les solutions avancées pour retrouver la confiance perdue des Français envers les médias ?

....

Vocabulaire

1. Apprenez le vocabulaire.

Otarie (n. f.) ....

Glacière (n. f.) ....

Hasard (n. m.) ....

Noyade (n. f.) ....

Source (n. f.) ....

Attroupement (n. m.) ....

Trottinette (n. f.) ....

Incivilité (n. f.) ....

Banc (n. m.) ....

Détritus (n. m.) ....

Déjection (n. f.) ....

Pronostiquer (v.) ....

Prédire (v.) ....

Balader (se) (v.) ....

Secourir (v.) ....

Renoncer (v.) ....

Avéré (adj.) ....

Concordant (adj.) ....

Contesté (adj.) ....

Débordant (adj.) ....

2. RENDRE COMPTE D'UN AVIS. Complétez.

discuté ; approuvé ; justifié ; amélioré ; rejeté ; contesté

a. Je comprends ses raisons, sa décision est ....

b. Son projet architectural rencontre beaucoup d'oppositions, il est ....

c. Sa nouvelle proposition d'urbanisme provoque de nombreux commentaires, elle est ....

d. Tout le monde est d'accord avec ses choix, le projet est ....

e. Le texte a nécessité beaucoup de changements, il a été ....

f. L'idée de film est jugée irréalisable, elle est ....

3. CARACTÉRISER UNE ACTION OU UNE OPINION. Complétez avec les substantifs dérivés des adjectifs de l'exercice 2.

a. .... a été dure.

b. .... est total.

c. .... est enthousiaste.

d. .... est sensible.

e. .... est acceptable.

f. .... est violente.

4. EXPRIMER DES SENTIMENTS. Employez l'adjectif qui correspond.

a. Admiration → *(Il)* Je suis .... de son talent.

b. Bonheur → *(Elle)* Je suis .... d'avoir pu venir à ton anniversaire.

c. Déception → Nous sommes .... du résultat.

d. Fierté → *(Il)* Je suis .... de sa réussite professionnelle.

e. Honte → *(Il)* J'ai .... de son comportement avec toi.

f. Surprise → *(Elle)* Je suis .... de te voir là.

Grammaire

1. EXPRIMER UNE OPINION. **Conjuguez les verbes au temps qui convient.**

Commentaire sportif

a. Il me semble qu'il *(manquer)* .... d'entraînement.

b. Je ne crois pas qu'il *(pouvoir)* .... marquer autant de buts que la saison dernière.

c. Je pense que l'équipe *(posséder)* .... un bon potentiel.

d. Pour moi, ça ne *(justifier)* .... pas le remplacement du joueur.

e. Je ne pense pas que l'entraîneur *(prendre)* .... une décision aussi contestable.

f. Je ne crois pas qu'il *(tenir)* .... compte de l'avis des supporters.

2. **Faites des suggestions au conditionnel.**

Améliorer la ville

a. On *(pouvoir)* .... multiplier les zones vertes.

b. Il *(falloir)* .... interdire l'utilisation des klaxons.

c. On *(devoir)* .... créer des zones de silence.

d. J'*(aimer)* .... pouvoir disposer de bicyclettes électriques.

e. Ça *(être)* .... bien s'il y avait plus de façades végétales.

f. Il y *(avoir)* .... aussi la possibilité de multiplier les lieux de rencontres.

Oral

1. EXPRIMER UNE OPINION. **Transformez comme dans l'exemple.**

N° 17   *Programme politique*

a. Ses promesses sont justes. / C'est mon avis.

→ **À mon avis, ses promesses sont justes.**

b. Son attitude est sincère. / Je ne le crois pas.

→ ....

c. Il a de bonnes idées. / C'est ce qu'il me semble.

→ ....

d. Il fera ce qu'il a promis. / Je ne le pense pas.

→ ....

e. C'est un coup politique. / J'en suis sûre.

→ ....

COMPRÉHENSION DE L'ORAL

Écoutez. Répondez aux questions avec les mots du document sonore.
Rencontre avec Nicolas, kiosquier à Paris. Il raconte un métier aujourd'hui menacé
N° 18 *mais qu'il aime pour sa liberté.*

1. Depuis combien de temps fait-il le métier de kiosquier ?

....

2. Pourquoi a-t-il choisi le métier de kiosquier ?

....

3. Qu'est-ce qui fait la différence entre deux kiosques ?

....

4. Quels sont ses rapports avec le public ?

....

COMPRÉHENSION DES ÉCRITS

Lisez le document et dégagez les informations nécessaires à sa compréhension.
Léo, Paul, Coralie et Noémie veulent aller au cinéma et ont tous les quatre d'autres obligations après 16 h 30.
Léo aime les films de science-fiction et les films d'action. Paul aime les dessins animés et les films policiers.
Coralie aime les comédies. Noémie aime les drames.

Lisez les résumés et notez les informations qui conviennent à chacun d'eux.

> **Alibi.com** ❙ Comédie de Philippe Lacheau (1 h 30). Silences, dissimulation, infidélité, complicité... de l'art de se prendre les pieds dans ses différents alibis. Avec Philippe Lacheau, Élodie Fontan et Julien Arruti.
> *Séances : 14 h – 16 h – 18 h – 20 h – 22 h*

> **Corporate** ❙ Thriller de Nicolas Silhol (1 h 35). Une responsable des ressources humaines est accusée d'avoir provoqué le suicide d'un cadre de l'entreprise où elle travaille. Elle tente de sauver sa peau. Avec Céline Sallette, Lambert Wilson.
> *Séances : 14 h 15 – 16 h 15 – 18 h 15 – 20 h 15*

> **Félicité** ❙ Drame de Alain Gomis (2 h 03). Pour sauver la jambe de son fils, victime d'un accident, une chanteuse de Kinshasa tente de réunir l'énorme somme d'argent nécessaire pour l'opération. Avec Véronique Beya Mputu, Gaetan Claudia, Papi Mpaka.
> *Séances : 14 h – 16 h 30 – 19 h – 21 h 30*

> **The lost city of Z** ❙ Aventure (2 h 21) de James Gray. Au début du XXᵉ siècle, un explorateur se rend au cœur de l'Amazonie à la recherche d'une cite perdue. Avec Charlie Hunnam, Sienna Miller, Robert Pattinson.
> *Séances : 14 h 05 – 16 h 45 – 19 h 25 – 22 h 05*

	Coralie	Léo	Noémie	Paul
Alibi.com				
Corporate				
Félicité				
The lost city of Z				

PRODUCTION ORALE

1. ENTRETIEN DIRIGÉ
Quelle est votre activité de loisir préférée ?

2. EXERCICE EN INTERACTION
Vous êtes en vacances en France et un évènement survient. Vous demandez des informations sur la nature de l'évènement, le lieu, les circonstances, l'impact de l'évènement.

3. EXPRESSION D'UN POINT DE VUE
Relisez l'article sur l'utilisation du téléphone portable (Livre de l'élève, p. 27). Donnez à votre tour votre opinion pour ou contre son utilisation permanente.

PRODUCTION ÉCRITE

Vous avez été choqué(e) par un article paru dans le journal, le magazine que vous lisez habituellement. Vous écrivez une lettre de protestation au directeur du journal. (160-180 mots)

Vocabulaire

1. Apprenez le vocabulaire.

Preuve (n. f.)	Bosser (v.) ....
Responsabilité (n. f.)	Garantir (v.) ....
Circuit (n. m.)	Exploser (v.) ....
Animation (n. f.)	Épouser (v.) ....
Randonnée (n. f.)	Modeste (adj.) ....
Montgolfière (n. f.)	Isolé (adj.) ....
Arranger (s') (v.)	

2. Vérifiez la compréhension du sondage (Livre de l'élève, p. 36). Classez les informations.

	Situation actuelle	Situation professionnelle future	Situation personnelle future
a. Aude			
b. Erwan			
c. Sandrine			
d. Malik			

3. Trouvez l'adjectif qui correspond à chaque définition.

a. Il a envie de réussir : il est ....

b. Il ne veut surtout pas se différencier des autres : il est ....

c. Il voit toujours les choses de manière négative : il est ....

d. Elle pense toujours que ce qui devait arriver devait arriver : elle est ....

e. Elle a de l'audace, du dynamisme : elle est ....

f. Elle voit toujours le côté positif des choses : elle est ....

4. Trouvez le contraire.

a. Un esprit conformiste ≠ ....

b. Un homme fataliste ≠ ....

c. Une femme entreprenante ≠ ....

d. Une attitude pessimiste ≠ ....

e. Un choix ambitieux ≠ ....

5. Caractérisez avec *tout à fait, plutôt, plutôt pas* ou *pas du tout*. Complétez.
Micro-trottoir : êtes-vous satisfait de votre métier actuel ?

a. « J'ai choisi ce métier mais c'est un échec total, je ne suis .... satisfait. »

b. « Bon moi, je ne crierai pas sur les toits que ce job me rend follement heureuse, mais je suis .... satisfaite. »

c. « C'est formidable ! C'est tout ce que j'avais rêvé de faire... Oui, je suis .... satisfaite. »

d. « Il y a plus d'aspects du métier qui ne me plaisent pas que d'aspects qui me plaisent. Dans l'ensemble, je suis .... satisfait. »

Grammaire

1. Ils disent ce qu'ils auront fait dans quelques années. Conjuguez au futur antérieur.

• *Projet de vie*

a. Je *(changer de travail)*
→ ....

b. Nous *(décider d'aller vivre dans un autre pays)*
→ ....

c. Elle *(choisir de s'occuper d'aide humanitaire)*
→ ....

d. Nous *(s'habituer à vivre dans une autre culture)*
→ ....

e. Je *(apprendre d'autres manières de travailler)*
→ ....

f. Nous *(découvrir d'autres raisons de s'engager)*
→ ....

• *Projet de construction*

a. Ils *(choisir le lieu)*
→ ....

b. Nous *(élaborer les plans)*
→ ....

c. Je *(se préparer à diriger le chantier)*
→ ....

d. Tu *(former les équipes)*
→ ....

e. Ils *(réaliser le projet)*
→ ....

f. Vous *(terminer le chantier)*
→ ....

2. EXPRIMER LA DURÉE. Complétez avec les mots de la liste.
dans ; d'ici à (au) ; en ; jusqu'à ; jusqu'à ce que ; au bout de

a. Je serai parti .... juillet.
b. .... fin juin, j'aurai terminé mon projet de scénario de fin d'études.
c. .... deux semaines, elle aura rendu le plan de son mémoire.
d. .... un an, j'espère qu'elle aura fini ses recherches.
e. .... je parte, j'ai le temps de prendre des contacts.
f. On peut donc me joindre directement .... fin juin.

Oral

1. Réécoutez l'entretien de l'exercice 7 (Livre de l'élève, p. 37). Vérifiez votre compréhension. Complétez.

N° 19

a. Marjolaine veut .... le château de Broussac.

b. Elle voudrait .... un hôtel.

c. Le maire pense que le village est .... , qu'il est .... des circuits touristiques.

d. Marjolaine veut .... par internet.

e. Marjolaine demande au maire de ....

f. Marjolaine voudrait .... des sorties en montgolfière.

g. Le maire a peur que .... aux habitants du village.

h. Marjolaine pense que ce projet .... des emplois.

2. Écoutez. Distinguez [y], [u], [i]. Cochez.

N° 20 *On peut toujours rêver...*

	[y]	[u]	[i]
a. Quoi que tu dises...			
b. j'étudierai toute la musique,			
c. je ferai des études de physique,			
d. je découvrirai de nouvelles énergies,			
e. je participerai à des réunions difficiles.			
f. On dira partout : quelle réussite !			

3. Ne pas être d'accord. Dites-le comme dans l'exemple.

N° 21 *Chaque chose en son temps*

a. Je ferai des projets. Puis je passerai mon bac.
→ **Non, tu feras des projets quand tu auras passé ton bac.**

b. Elle voyagera. Puis elle fera des études.
→ ....

c. Ils prendront des vacances. Puis ils trouveront du travail.
→ ....

d. Je suivrai des stages. Puis je choisirai un métier.
→ ....

e. Il présentera des projets. Puis il demandera des conseils.
→ ....

f. Elle se mariera. Puis elle réussira.
→ ....

Unité 2 - Leçon 2 - Choisir son look

Vocabulaire

1. Apprenez le vocabulaire.

Moine (n. m.) ....
Imprimé (n. m.) ....
Cardigan (n. m.) ....
Éclectisme (n. m.) ....
Fringue (n. f.) ....
Velours (n. m.) ....
Accessoire (n. m.) ....
Friperie (n. f.) ....
Casquette (n. f.) ....
Bonnet (n. m.) ....
Cagoule (n. f.) ....
Intervention (n. f.) ....
Conciliation (n. f.) ....
Quidam (n. m.) ....

Sagesse (n. f.) ....
Boutonner (v.) ....
Esquiver (v.) ....
Essaimer (v.) ....
Motiver (v.) ....
Immiscer (s') (v.) ....
Autoproclamer (s') (v.) ....
Séduire (v.) ....
Suggérer (v.) ....
Repérable (adj.) ....
Discret (adj.) ....
Décontracté (adj.) ....
Performant (adj.) ....
Invariablement (adv.) ....

2. Vérifiez la compréhension de l'article sur les looks (Livre de l'élève, p. 38). Complétez le tableau.

	Catégorie sociale	Style dominant	Type de vêtements	
			Pour lui	Pour elle
a. 1re tendance				
b. 2e tendance				
c. 3e tendance				
d. 4e tendance				

3. Chassez l'intrus.

a. casquette – bonnet – cagoule – chapeau

b. foulard – tour de cou – bracelet – montre

c. cardigan – pull – sweat – tee-shirt

d. jean – pantalon slim – jogging – costume

e. veste blazer – veste en skaï – chemisier – veste en velours

4. Caractérisez. Complétez avec les mots de la liste.

bien dans sa peau ; égocentrique ; discret ; décontracté ; performant

a. Pour elle, rien n'est jamais un problème ; elle est ....

b. Il ne veut surtout pas qu'on le remarque ; il est ....

c. On sent qu'il est bien avec les autres et avec lui-même ; il est ....

d. Dans le travail, elle est très efficace ; elle est ....

e. Il ramène tout à lui, il veut être le centre du monde ; il est ....

5. DÉCRIRE L'APPARENCE. Utilisez les expressions de la liste.

tu ressembles à… ; tu as l'air de… ; on dirait que tu es… ; il semble… ; il paraît que… ; il fait…

a. Léo travaille trop ! Il a une sale tête, il .... fatigué.

b. Tu devrais changer de manière de t'habiller ! À 35 ans, tu .... d'un vieux monsieur.

c. Elle devrait faire attention à son maquillage, elle .... à une caricature.

d. Il a peur du regard des autres. .... il ne sort plus de chez lui.

e. Elle fuit souvent les gens qui veulent lui parler ; on .... elle est mal dans sa peau.

f. Je ne l'avais pas vu depuis longtemps ; qu'est-ce qu'il a vieilli ! Il .... dix ans de plus que son âge.

6. PARLER DE LA PERFORMANCE. Formez une expression avec les verbes de la liste.

renforcer ; suggérer ; esquiver ; imposer ; améliorer ; motiver

Esprit d'équipe

a. .... l'équipe pour gagner le match.

b. Rendre l'équipe plus forte : .... la cohérence de l'équipe.

c. .... son autorité sur l'équipe.

d. .... des activités physiques plus efficaces.

e. Savoir ne pas .... les difficultés.

f. .... les conditions d'entraînement.

Grammaire

1. SOIGNER SON APPARENCE. Donnez des conseils.

a. Il faut que tu *(faire)* .... du sport !

b. J'aimerais qu'elle *(prendre)* .... les conseils d'un coach.

c. Tu devrais *(aller)* .... chez un masseur !

d. J'aimerais qu'elle *(venir)* .... plus souvent au cours de Pilates.

e. Il faut que tu *(se teindre)* .... les cheveux.

2. DONNER DES CONSEILS. Complétez.

Mieux gérer son budget

a. J'aimerais que tu *(faire attention)* .... à ton budget.

b. Il faut que tu *(comparer)* .... les prix.

c. Tu devrais *(consulter)* .... les sites d'achat en ligne.

d. J'aimerais aussi que tu *(aller)* .... plus souvent au marché.

e. Il faut que tu *(prendre)* .... le temps d'aller dans plusieurs boutiques.

f. Je crois qu'il faut que tu *(penser)* .... à faire sérieusement des économies.

3. LES PRONOMS PERSONNELS À L'IMPÉRATIF. **Reformulez ces conseils comme dans l'exemple.**

Un coach donne des conseils à un homme politique.

Les pronoms personnels à l'impératif			
Le pronom est placé avant le verbe. Je **lui** parle.		Le pronom est placé après le verbe Je pars avec **elle**.	
Affirmatif	**Négatif**	**Affirmatif**	**Négatif**
Parle-lui !	Ne lui parle pas !	Pars avec elle !	Ne pars pas avec elle !

a. Vous devez faire couper vos cheveux.

→ **Faites-les couper !**

b. Vous devez changer votre cravate.

→ ....

c. Vous devez acheter un autre costume.

→ ....

d. En public, vous ne devez pas quitter vos lunettes.

→ ....

e. Vous devez parler aux jeunes.

→ ....

f. Vous devez penser aux personnes âgées.

→ ....

g. Vous devez vous intéresser aux agriculteurs.

→ ....

Oral

1. Écoutez le reportage. Retrouvez les informations qui correspondent aux chiffres du reportage.

N° 22

a. 80 % : ....

b. 1. 83 % : ....

    2. 68 % : ....

    3. 21 % : ....

    4. 14 % : ....

c. 52 % et 71 % : ....

d. 1. 63 % : ....

    2. 44 % : ....

e. 1. 360 € : ....

    2. 500 € : ....

f. 1. 600 € : ....

    2. 677 € : ....

    3. 62 € : ....

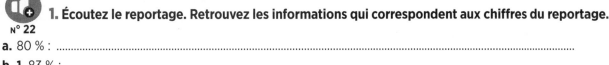

Unité 2 - Leçon 3 - Être en forme physique

Vocabulaire

1. Apprenez le vocabulaire.

Bénéfice (n. m.) ....
Inhalation (n. f.) ....
Pic (n. m.) ....
Particule (n. f.) ....
Organe (n. m.) ....
Gêne (n. m.) ....
Capteur (n. m.) ....
Courbe (n. f.) ....
Tensiomètre (n. m.) ....
Insistance (n. f.) ....

Pilulier (n. m.) ....
Impact (n. m.) ....
Reporter (v.) ....
Venter (v.) ....
Bénéfique (adj.) ....
Accru (adj.) ....
Ventilé (adj.) ....
Néfaste (adj.) ....
Artériel (adj.) ....

2. Voici le substantif, trouvez l'adjectif.

a. Douleur → ....

b. Endurance → ....

c. Bénéfice → ....

d. Infection → ....

e. Cœur → ....

f. Muscle → ....

3. PARLER D'UN ÉTAT PHYSIQUE. Complétez avec un des adjectifs de l'exercice 2.

a. Elle est en pleine forme ; le séjour à la montagne lui a été ....

b. Il doit doser ses activités sportives et surveiller son rythme ....

c. Il s'est vraiment fait mal ; la chute a été ....

d. Il résiste bien à l'effort ; il est ....

e. Au ski, il faut qu'il mesure ses efforts ....

f. Sa blessure est mal refermée ; il y a un risque ....

4. Dites si c'est un avantage ou un inconvénient.

	Avantage	Inconvénient
a. La pollution provoque un mal de gorge terrible.		
b. Un travail trop intense peut entraîner du surmenage.		
c. Les objets connectés permettent une meilleure connaissance de soi.		
d. La vie au grand air favorise une bonne hygiène du corps.		
e. Surveiller son alimentation permet de ne pas grossir.		
f. Courir trop longtemps donne des palpitations.		

Grammaire

1. **Transformez les conseils en utilisant _en_.**

Diététique

a. Si vous variez votre alimentation, vous garderez la forme.

→ ....

b. Si vous prenez cinq fruits et légumes par jour, vous aurez un apport équilibré en vitamines.

→ ....

c. Si vous mangez moins de graisses, vous aurez moins de risques cardiaques.

→ ....

d. Si vous diminuez les aliments sucrés, vous prendrez moins de poids.

→ ....

e. Si vous buvez moins d'alcool, vous vivrez plus longtemps.

→ ....

f. Si vous consommez plus d'eau, vous éliminerez mieux.

→ ....

2. **Reformulez les phrases suivantes avec les expressions de la liste.**

si ; au moment où ; en même temps ; parce que ; au moyen de

Conseils de cuisine

a. En voyant le gâteau gonflé, continuez à le laisser cuire !

→ ....

b. En préchauffant le four, vous obtiendrez une meilleure cuisson.

→ ....

c. En utilisant une aiguille, vous piquerez le soufflé.

→ ....

d. Vous avez brûlé le gâteau en chauffant trop.

→ ....

e. En battant les œufs, remuez !

→ ....

Oral

1. Réécoutez la séquence radio (Livre de l'élève, p. 40) et vérifiez la compréhension.

N° 23

	VRAI	FAUX
a. Les bénéfices du vélo sont supérieurs aux risques liés à la pollution et aux accidents.	❑	❑
b. Les pics de pollution gênent certaines personnes dans l'effort.	❑	❑
c. Quand on fait du sport, on ventile moins d'air qu'au repos.	❑	❑
d. Il ne faut pas faire d'activité physique et sportive en plein air et à l'intérieur quand il y a des pics de pollution.	❑	❑
e. Il ne faut pas se déplacer sur les grands axes routiers en période de pointe.	❑	❑
f. Il faut utiliser des masques en ville.	❑	❑
g. Il ne faut pas faire de sport pendant les heures de pointe.	❑	❑
h. Il ne faut pas faire de sport en ville à cause de la pollution.	❑	❑

2. Répondez en utilisant un pronom objet direct. Répondez par *oui* et par *non*.

N° 24 *État de santé*

a. – Vous faites du sport ?
– Oui, j'en fais.
– Non, je n'en fais pas.

b. – Vous vous fixez des objectifs ?
– ....   – ....

c. – Vous connaissez le coaching en ligne ?
– ....   – ....

d. – Vous utilisez un bracelet connecté ?
– ....   – ....

e. – Chez vous, vous avez une balance ?
– ....   – ....

f. – Vous surveillez votre poids ?
– ....   – ....

3. Donner des conseils. Transformez.

N° 25

a. Si vous utilisez un bracelet, vous pourrez mesurer votre rythme cardiaque.
→ **En utilisant un bracelet, vous pourrez mesurer votre rythme cardiaque.**

b. Si vous vous pesez tous les jours, vous éviterez de prendre du poids.
→ ....

c. Si vous mettez des capteurs sous votre matelas, vous pourrez améliorer votre sommeil.
→ ....

d. Si vous faites attention à votre alimentation, vous vous sentirez mieux.
→ ....

e. Si vous buvez beaucoup d'eau, vous éliminerez mieux.
→ ....

Unité 2 - Leçon 4 - S'affirmer dans un groupe

Vocabulaire

1. Apprenez le vocabulaire.

Dragueur (n. m.) ....
Rasoir (au) (n. m.) ....
Trac (n. m.) ....
Carrure (n. f.) ....
Narcissisme (n. m.) ....
Coup de gueule
(n. m.) ....

Donnée (n. f.) ....
Influencer (v.) ....
Décrypter (v.) ....
Transmettre (v.) ....
Stocker (v.) ....
Génial (adj.) ....
Indispensable (adj.) ....

2. Vérifiez la compréhension du reportage vidéo : « Comédien : face au public » (Livre de l'élève, p. 42).
Répondez aux questions.

a. Dans quel théâtre se passe le reportage ?

....

b. Comment s'appelle la pièce que joue le comédien et qui en est l'auteur ?

....

c. Quelles sont les différents moments de la préparation de la pièce ?

....

d. Quel est son rapport au trac ?

....

e. Quels sont les artistes qu'il admire ?

....

f. Quel rôle rêve-t-il de jouer et pourquoi ?

....

3. RÉPONDRE À UNE SITUATION. Complétez avec les verbes de la liste.

raconter ; décrypter ; analyser ; stocker ; transmettre ; approfondir

a. La situation est compliquée ; il faut prendre le temps de l'.. .

b. Le message que nous avons reçu est très codé ; il va falloir le ....

c. Aujourd'hui on est capable de .... des milliards de données dans des fermes.

d. Elle a absolument besoin de ces documents pour la négociation ; il faut lui ....

e. Il a une approche trop superficielle des choses, il faut absolument qu'il les ....

f. Maintenant mettez en forme tous les éléments qui forment le récit de la situation et .... -nous !

4. DU VERBE AU SUBSTANTIF. Complétez.

a. Analyser → .... du contrat.

b. Décrypter → .... du code d'accès au programme.

c. Stocker → .... des informations doit être sécurisé.

d. Transmettre → .... des données nécessaires à la négociation.

e. Approfondir → .... de l'analyse des conditions de faisabilité du projet.

f. Raconter → Maintenant vous avez tous les éléments. Faites-en ....

5. EXPRIMER UN SENTIMENT DE PEUR. **Qu'est-ce qu'ils disent ? Associez situation et expression du sentiment.**

a. Le comédien avant d'entrer en scène.

b. Le passager qui n'aime pas prendre l'avion, qui a peur de l'enfermement.

c. Le randonneur en montagne qui est attiré par le vide : ...... du vide.

d. Le spectateur qui a échappé à un feu dans une salle de spectacle :
...... à l'idée d'y retourner.

e. La mère qui attend sa fille qui n'est pas rentrée à l'heure dite : ......

f. Un touriste qui commente les prix élevés des prestations dans le pays hôte :
...... par les prix !

1. « Je suis terrifié. »

2. « Je suis effrayé. »

3. « Je suis angoissé. »

4. « J'ai le trac. »

5. « J'ai peur. »

6. « Je suis inquiète. »

6. Caractérisez avec les adjectifs de la liste.

indispensable ; profond ; vaste ; puissant ; naturel ; génial

a. Je ne peux plus me passer de mon smartphone ; il m'est devenu ....

b. Communiquer par Skype, FaceTime ou WhatsApp, ça coule de source ; c'est ....

c. Se parler comme si on était à côté, c'est .... !

d. Certains s'effrayent du passage à un univers totalement connecté ; c'est vrai que le changement est ....

e. Et les domaines d'application sont si .... !

f. C'est un mouvement si .... que rien ne pourra l'arrêter.

Grammaire

1. LES PRONOMS PERSONNELS INDIRECTS REPRÉSENTANT DES PERSONNES. **Remplacez les mots en gras par un pronom pour éviter une répétition.**

Quand le pronom représente une personne et qu'il est introduit par la préposition *à*	
Si le verbe exprime une idée d'interaction et de réciprocité, le pronom se place avant le verbe.	**Si le verbe n'exprime pas une idée d'interaction et de réciprocité, le pronom se place après le verbe.**
J'écris à Louis. → Je **lui** écris.	Je pense à Luc. → Je pense à **lui**.

Rencontre

a. Julien a rencontré Arielle au Jardin du Luxembourg. **Julien** a dit bonjour à **Arielle**.

→ ....

....

b. **Arielle** a répondu à **Julien** par un sourire.

→ ....

....

c. **Arielle et Julien** ont commencé à bavarder. Puis, deux filles sont passées. Arielle a parlé **aux deux filles**.

→ ....

....

d. Arielle est partie au cinéma avec **les deux filles**.

→ ....

....

e. Arielle a donné son numéro de téléphone à Julien. Julien pense à **Arielle**. Ce soir, **Julien** enverra un texto à **Arielle**.

→ ....

....

Oral

N° 26

1. POUR OU CONTRE LE SELFIE ? Écoutez le micro-trottoir. Classez les opinions.

	Annabelle	Cédric	Félix	Charlotte	Chloé	Antoine
Pour / contre / les deux ?						
Intérêt social des selfies						
Intérêt artistique						
Risques pour soi-même						
Risques pour les autres						
Risques en général						

Écrit et civilisation

1. Lisez l'article et répondez aux questions.

Que cherchent les jeunes sur les réseaux sociaux ?

Internet est un formidable réservoir d'informations auquel les jeunes ont recours. Leurs réflexes sont aujourd'hui bien ciblés autour de quelques sources préférées : Google comme moteur de recherche, Wikipédia pour l'information, Facebook, Twitter pour le suivi des communautés, et pour beaucoup YouTube – le chouchou – pour s'exprimer, voir, suivre et chercher.

Internet, les réseaux sociaux et l'usage bien sûr des mobiles permettent surtout aux adolescents de se retrouver, d'échanger sur leurs expériences, de développer des relations à distance de la famille ou de l'école… Des applications mobiles de messagerie instantanée comme Whatsapp ou Snapchat sont aujourd'hui clairement plébiscitées. Elles supposent une connexion mais pas de forfait téléphonique et peuvent être un moyen gratuit de communication. Les messages et photos jointes sont parfois programmés pour être détruits après consultation.

Les jeux vidéo, qui ne cessent de se perfectionner, offrent des espaces virtuels illimités. C'est sur les jeux connectés sur Internet massivement multijoueurs (MMO) que les temps moyens de jeu sont les plus élevés.

L'exposition de soi à travers la création de son identité numérique, le passage d'une identité à l'autre, le changement d'identité en changeant de communauté semble faire partie des plaisirs recherchés sur le net et les réseaux sociaux.

La possibilité d'exprimer son adhésion et d'être suivi-e, aimé-e, sur son profil, ses publications (texte, photo, vidéo), ses évènements, fait également l'objet de beaucoup d'intérêt chez de nombreux adolescents. Ces nouveaux outils qui font la part belle à la création graphique, audio, photo et vidéo avec des applis et des services en ligne (dont beaucoup sont simples et gratuits) permettent à chacun de multiplier les formes d'expression.

a. Quels sont les moteurs de recherche ou applications associés à ces verbes ?

1. s'exprimer, voir, suivre et chercher : ....

2. se retrouver, échanger, développer des relations : ....

b. À quoi se rapportent ces adverbes ?

1. clairement : ....

2. massivement : ....

3. également : ....

c. Qu'est-ce que caractérisent ces deux adjectifs ?

1. élevés : ....

2. recherchés : ....

d. Quels sont les plaisirs recherchés sur les réseaux sociaux ? ....

e. Quelles formes prend l'expression de soi ? ....

Vocabulaire

1. Apprenez le vocabulaire.

Origine (n. f.) ....

Tradition (n. f.) ....

Fantasme (n. m.) ....

Repère (n. m.) ....

Dévoiler (se) (v.) ....

Motiver (v.) ....

Cerner (v.) ....

Aiguiller (v.) ....

Rattraper (v.) ....

Fier (adj.) ....

Pompeux (adj.) ....

Humble (adj.) ....

Orgueilleux (adj.) ....

Bilatéral (adj.) ....

Urbain (adj.) ....

Avide (adj.) ....

Douloureux (adj.) ....

Angoissé (adj.) ....

Horrible (adj.) ....

2. Vérifiez la compréhension des interviews Loto de *L'Express* (Livre de l'élève, p. 45).

a. Sur quoi porte chaque réponse ?

une influence ; un trait de personnalité ; un souvenir ; un goût pour la culture ; une préférence ; un fantasme

1. Lambert Wilson : ....

2. Oxmo Puccino : ....

3. Natalie Dessay : ....

4. Marie Gillain : ....

5. Soprano : ....

6. Shy'm : ....

b. Qui parle de son rapport... ?

1. ... aux mots : ....

2. ... à la musique : ....

3. ... à lui-même : ....

4. ... à la culture : ....

5. ... aux médias : ....

6. ... à la famille : ....

c. Attribuez ces paroles.

1. J'aime tout ce qui entoure la musique : ....

2. Je suis avide de culture : ....

3. Akhenaton a défendu les cultures urbaines : ....

4. J'étais jeté dans un univers où je n'avais pas de repère : ....

5. Twitter a changé la forme de mon écriture : ....

6. Je suis totalement humble : ....

3. Caractériser psychologiquement des personnes. Employez l'adjectif qui convient dans les phrases qui suivent.

fier ; pompeux ; orgueilleux ; humble ; angoissé ; avide

a. Il n'en a jamais assez ; il est .... de conquêtes de marché.

b. Il ne se vante pas de sa réussite ; il est ....

c. Elle a toujours peur que ce ne soit pas assez bien ; elle est ....

d. Elle parle toujours de la réussite de ses enfants ; elle en est ....

e. Quand il parle, il emploie toujours des grands mots ; il est ....

f. Il a une haute opinion de lui-même ; il est très ....

Grammaire

1. INTERROGER. Posez la question : dites-le autrement.

a. Tu t'intéresses à la musique ?

→ ....

b. Est-ce que tes amis sortent souvent avec toi ?

→ ....

c. Vas-tu souvent au concert ?

→ ....

d. Tes collègues de travail vont-ils parfois au bar avec toi ?

→ ....

e. Est-ce que vous prenez des abonnements pour la saison de théâtre ?

→ ....

f. Joues-tu d'un instrument de musique ?

→ ....

2. Voici la réponse, trouvez la question.

Mauvaise surprise

a. – .... ?

– Léo a envoyé la photo.

b. – .... ?

– Il l'a envoyée à tout le monde sur les réseaux sociaux !

c. – .... ?

– La photo a été prise au Bar de la fin du monde !

d. – .... ?

– Elle a sans doute été prise quand on a rencontré cette bande de jolies femmes...

e. – .... ?

– Louis et Julien sont furieux.

f. – .... ?

– La photo est sur les réseaux depuis cette nuit.

Oral

1. Lisez les réponses. Écoutez l'interview. Remettez les questions dans l'ordre.

N° 27

a. Votre mot préféré ?
b. Le son, le bruit que vous détestez ?
c. Si Dieu existe, qu'aimeriez-vous, après votre mort, l'entendre vous dire ?
d. Votre juron, gros mot ou blasphème favori ?
e. Le mot que vous détestez ?
f. Le son, le bruit que vous aimez ?
g. Homme ou femme pour illustrer un nouveau billet de banque ?
h. Votre drogue favorite ?
i. Le métier que vous n'auriez pas aimé faire ?
j. La plante, l'arbre ou l'animal dans lequel vous aimeriez être réincarné ?

Ordre des questions : ....

COMPRÉHENSION DE L'ORAL

N° 28 **Écoutez le micro-trottoir. Répondez aux questions en cochant (X) la bonne réponse.**
Qu'est-ce qui vous plaît dans le yoga ? Rencontre avec les yogis du Touquet Plage.

1. Aurélie retrouve les sensations simples, les sensations primaires.
❑ vrai ❑ faux ❑ on ne sait pas

2. Chloé vient chercher le lâcher-prise et la sensation d'être guidée par quelqu'un, de se sentir en sécurité.
❑ vrai ❑ faux ❑ on ne sait pas

3. À la fin de la séance, Stéphanie a senti qu'elle avait de la difficulté à lâcher vraiment prise.
❑ vrai ❑ faux ❑ on ne sait pas

4. Le moment préféré de Lucie, ce sont les cinq minutes de relaxation qui lui donnent un sentiment de liberté et de protection à la fois.
❑ vrai ❑ faux ❑ on ne sait pas

5. Juliette n'a jamais fait de yoga.
❑ vrai ❑ faux ❑ on ne sait pas

COMPRÉHENSION DES ÉCRITS

Lisez puis analysez le document en répondant aux questions.

Tous accros à nos smartphones !

Dix ans après son apparition, le smartphone est devenu le compagnon indispensable d'une grande majorité des Français, devant l'ordinateur portable et la tablette. Une dépendance pas virtuelle du tout !

Le smartphone serait-il devenu notre nouveau doudou ? Avec plus de quatre Français sur dix avouant le consulter au beau milieu de la nuit, et deux sur dix au réveil, la question mérite d'être posée.

Selon l'étude du cabinet Deloitte, ce n'est pourtant pas seulement au lit que nous emportons nos téléphones. Plus de huit Français sur dix l'utilisent devant la télévision ou à table, et ils sont de plus en plus nombreux à ne plus pouvoir s'en passer dans les transports en commun. L'an dernier, la proportion de Français pianotant sur leur smartphone dans le bus ou dans le métro, atteignait les 49 %. En 2015, ils n'étaient que 30 %.

Bref, les Français sont devenus accros à leur smartphone, et le phénomène est d'autant plus visible que ce dernier représente désormais la première « porte d'entrée » sur Internet. […]

En moyenne les 18-24 ans consultent leur écran cinquante fois par jour et 40 % d'entre eux le font dans les cinq minutes qui suivent leur réveil.

Un smartphone pour quoi faire ? Le SMS est l'usage le plus cité (75 %), devant la téléphonie (56 %) et les emails (47 %). Les Français l'utilisent donc prioritairement pour communiquer ainsi que pour surfer sur Internet et les réseaux sociaux lorsqu'ils sont en déplacement. Plus de huit personnes sur dix prennent également des photos avec leur téléphone.

En revanche, certains usages comme le paiement mobile peinent à décoller dans l'Hexagone. […] Interrogés sur leur réticence, presque la moitié des sondés ont répondu ne pas comprendre l'intérêt du procédé – qui a pourtant séduit 20 % des Américains et des Norvégiens.

Mais les Français ne sont pas réfractaires à toutes les nouveautés. Ils plébiscitent les assistants vocaux qu'ils étaient 29 % à utiliser en 2016. L'avantage de ces applications ? Ne plus avoir à pianoter pour consulter la météo ou la station-service la plus proche, ce qui fait gagner du temps… et peut accessoirement vous sauver la vie. Mais les Français sont tellement accros à leurs téléphones qu'ils en deviennent imprudents : 58 % avouent continuer à utiliser leur smartphone au volant et 66 % en traversant la rue.

J.-M.L., *Le Progrès*, 21/01/2017.

1. Retrouvez à quoi correspondent ces chiffres.

a. 4 sur 10 : ....

b. 8 sur 10 : ....

2. À quels usages correspondent ces pourcentages ?

a. 40 % : ....

b. 75 % : ....

c. 56 % : ....

d. 47 % : ....

3. Quelles nouveautés dans les usages ne séduisent pas et séduisent les Français ?

....

....

4. Quelles sont les marques d'imprudence des Français dans l'usage de leur smartphone ?

....

....

PRODUCTION ORALE

1. ENTRETIEN DIRIGÉ
Comment voyez-vous votre avenir professionnel ?

2. EXERCICE EN INTERACTION
Vous allez passer un entretien pour un nouvel emploi. Vous demandez conseil sur la manière de s'habiller,
se présenter, répondre, quand poser des questions, quels sujets aborder obligatoirement ou ne pas aborder...

3. EXPRESSION D'UN POINT DE VUE
Relisez l'article « Jamais sans mon coach » (Livre de l'élève, p. 39). Donnez vos arguments pour ou contre
la consultation d'un coach.

PRODUCTION ÉCRITE

**Vous vous êtes inscrit(e) à un club de remise en forme. Vous n'êtes pas content(e) des prestations des moniteurs.
Vous écrivez une lettre de mécontentement au directeur de la salle.** (160-180 mots)

....

....

....

....

....

....

....

....

....

....

....

....

Unité 3 - Leçon 1 - Préparer un voyage

Vocabulaire

1. Apprenez le vocabulaire.

Accordéon (n. m.) ....
Micro (n. m.) ....
Poing (n. m.) ....
Quête (n. f.) ....
Alchimie (n. f.) ....
Motoneige (n. f.) ....
Roulotte (n. f.) ....
Tortue (n. f.) ....
Baleine (n. f.) ....
Croisière (n. f.) ....
Raid (n. m.) ....
Pirogue (n. f.) ....
Bénévole (n. m.) ....

Voilier (n. m.) ....
Façonner (v.) ....
Inspirer (v.) ....
Immerger (s') (v.) ....
Colporter (v.) ....
Caresser (v.) ....
Perfectionner (v.) ....
Restaurer (v.) ....
Existentiel (adj.) ....
Ancestral (adj.) ....
Mythique (adj.) ....
Beauf (adj.) ....
Sauvage (adj.) ....

**2. Vérifiez la compréhension du document « Le voyage original d'Adrien Séguy "en Accordéonistan" »
(Livre de l'élève, p. 50). Complétez avec les verbes qui indiquent les buts du voyage d'Adrien Séguy.**

.... des musiciens traditionnels.

.... un instrument qui a inspiré la création de l'accordéon.

.... dans une culture et .... la sienne.

.... les morceaux enregistrés.

.... un album avec les morceaux de tous les pays.

3. Complétez les expressions avec les verbes de la liste.

colporter, s'immerger ; créer ; rencontrer ; faire partager ; rechercher

Au travail

a. .... un problème.

b. .... une solution.

c. .... dans un dossier.

d. .... des préoccupations.

e. .... de fausses informations.

f. .... un groupe de travail.

4. Du verbe au substantif. Complétez.

Tourisme

a. Découvrir → Faire .... d'un nouveau musée.

b. Inviter → Accepter .... chez l'habitant.

c. Échanger → Participer à .... de classes.

d. Goûter → Avoir .... de l'aventure.

e. Rechercher → Partir à .... d'une cité perdue.

f. Courir → Non aux vacances au pas de .... !

5. Employez les verbes de la liste de manière imagée.

jouer ; suivre ; goûter ; observer ; caresser ; danser

a. .... une trêve. **e.** .... sur un volcan.

b. .... un espoir. **f.** .... au plaisir de l'instant.

c. .... avec le feu.

d. .... son intuition.

Grammaire

1. Mettez les verbes entre parenthèses à la forme qui convient.

Avant la fin de la semaine...

a. J'aimerais que tu *(terminer)* .... le projet.

b. Je voudrais que vous *(faire)* .... l'analyse de toutes les données.

c. J'aimerais que vous *(trouver)* .... des solutions avant le début des essais.

d. Il faut que tu *(résoudre)* .... l'ensemble des problèmes.

e. Il faut que tout *(achever)* .... dans les délais.

Cela dit....

f. Il est possible qu'elle *(se tromper)* .... dans le calendrier des opérations.

2. EXPRIMER UNE IMPRESSION. Mettez les verbes entre parenthèses au subjonctif.

a. Je suis heureuse que tu *(venir)* ....

b. Je suis content que vous *(faire)* .... le voyage.

c. Je suis ravi que vous *(se libérer)* .... pour cette occasion.

d. J'ai peur que tu *(mal choisir)* .... les dates.

e. Je regrette qu'ils *(ne pas suivre)* .... mon conseil.

f. Je suis déçue que vous *(passer)* .... si vite et que vous *(ne pas rester)* .... plus longtemps.

3. EXPRIMER UN SENTIMENT. Utilisez le subjonctif.

Négociation

a. Je regrette que vous *(refuser)* .... notre proposition.

b. Nous sommes heureux que vous *(accepter)* .... notre nouvelle offre.

c. C'est dommage que nous *(ne pas prendre)* .... en considération ce projet.

d. Il est curieux que tu *(s'intéresser)* .... à cette affaire.

e. J'ai peur que vous *(trop attendre)* .... pour prendre cette décision.

f. Je suis triste qu'ils *(décider)* .... de se retirer.

4. LES PRONOMS REPRÉSENTANT LES CHOSES. Réécrivez les phrases : remplacez les mots en gras par un pronom.

a. Les Pyrénées sont une belle région. Vous devez aller **dans les Pyrénées**.

→ ....

b. Vous aimez les randonnées ? Vous pouvez faire de magnifiques **randonnées**.

→ ....

c. Les sentiers de montagne autour de Luchon sont variés. Je connais tous **ces sentiers**.

→ ....

d. Je vous conseille l'hôtel de la Source. On mange très bien **à cet hôtel**. *Le guide du Routard* conseille **cet hôtel**.

→ ....

e. Mais, faites votre réservation à l'avance. Pensez **à faire cette réservation**. Moi, je fais **cette réservation** dès le mois de mars.

→ ....

Oral

N° 29 **1. Vérifiez votre compréhension du micro-trottoir (Livre de l'élève, p. 50). Complétez.**

a. Partir seul avec son sac à dos, c'est un bon moyen ....

b. Moi je partirais dans une grande ville comme Berlin ou Madrid... ça serait l'occasion ....
....

c. Moi je rêve d'une croisière sur le Nil avec ma copine ; .... de tous les problèmes
.... dans un cadre extraordinaire.

d. Moi j'aimerais bien faire un raid en Guyane ; .... la forêt amazonienne, ...
des rivières en pirogue, ... des habitants, ... en pleine nature

e. Ce que je voudrais bien faire, ...

f. Moi ce que je rêve de faire, c'est ....

N° 30 **2. Écoutez. Distinguez [b], [v], [f]. Cochez.**

Sur les rives de la vie	[b]	[v]	[f]
– Tu vas au Brésil ?			
En février ?			
Faire du bateau à voile ?			
– Oui, on va dériver sans but, ...			
au gré du vent...			
– C'est fabuleux !			

N° 31 **3. Confirmez comme dans l'exemple.**
C'est à faire rapidement !

a. – Nous devons travailler sur le projet avant samedi ?
– Oui, il faut que nous ayons travaillé sur le projet avant samedi.

b. – Je dois réunir la documentation avant lundi ?

– ....
....

c. – Mathieu doit faire les recherches sur Internet avant mardi ?

– ....
....

d. – Tu dois rendre le descriptif du projet avant mercredi ?

– ....
....

e. – Je dois rédiger la partie technique du projet avant jeudi ?

– ....
....

f. – Tu dois relire l'ensemble du projet vendredi ?

– ....
....

Vocabulaire

1. Apprenez le vocabulaire.

Embrayage (n. m.) ....
Pédale (n. f.) ....
Tracteur (n. m.) ....
Autobus (n. m.) ....
Humeur (n. f.) ....
Caler (v.) ....
Relâcher (v.) ....
Garer (se) (v.) ....
Dépêcher (se) (v.) ....
Râler (v.) ....

Exagérer (v.) ....
Crevé (adj.) ....
Docile (adj.) ....
Dominateur (adj.) ....
Énervé (adj.) ....
Macho (adj.) ....
Râleur (adj.) ....
Menteur (adj.) ....
Appliqué (adj.) ....

2. Vérifiez la compréhension du dialogue (Livre de l'élève, p. 52). Qu'est-ce qu'il/elle dit quand... ?

a. il encourage Alex : ....

b. il explique comment faire : ....

c. elle s'excuse : ....

d. il ironise sur la possibilité de se garer : ....

e. elle fait des remarques sur son attitude : ....

f. il la félicite sur la réussite du créneau : ....

3. Complétez avec les adjectifs suivants de la liste.

appliqué ; attentif ; docile ; énervé ; patient ; râleur

Chacun son caractère...

a. Quand il est .... , il fait des remarques désagréables.

b. Elle explique, recommence ses explications ; elle est très .... avec ses élèves.

c. Il fait toujours des remarques très justes ; il est très .... à ce que les autres disent.

d. Pour lui, rien ne va jamais. Il s'en prend à tout et à tout le monde. Il est ....

e. Elle rend toujours des travaux très bien présentés ; elle est très ....

f. Il fait toujours ce qu'on lui dit ; il est très ....

4. Action ! Utilisez les verbes de la liste.

se garer ; freiner ; s'arrêter ; ralentir ; démarrer ; faire attention

a. Le feu passe au rouge ; je ....

b. J'arrive sur un rond-point, je ....

c. Le feu passe au vert, je ....

d. Il y a une place de parking libre, je ....

e. Il y a un panneau de limitation de vitesse, je ....

f. Il y a un bouchon imprévu, je ....

5. Utilisez ces mêmes verbes dans d'autres contextes.

a. Il ne veut pas qu'on le fasse, il .... toute initiative.

b. Le matin, il est très lent, il a du mal à ....

c. Quand il a commencé à parler, on ne peut plus l'.. .

d. En réunion, il fait attention, il .... des coups bas.

e. Il multiplie les aventures secondaires qui .... la progression de l'histoire.

f. Depuis qu'il est retraité, il .... à lui.

Grammaire

1. LES PRONOMS PERSONNELS AVEC UN VERBE AU PASSÉ COMPOSÉ. Réécrivez le dialogue : utilisez les pronoms personnels pour éviter les répétitions dans les réponses.

Adrien a eu un accident.

a. Julie : Qu'est-ce qui s'est passé ?
Adrien : J'ai eu un accident. Au croisement il y avait un feu. Je n'ai pas vu ce feu. La voiture devant moi a stoppé brusquement. Je n'ai pas vu que cette voiture s'arrêtait.

→ ....

....

b. Julie : L'autre voiture a eu des dommages ?
Adrien : Non, elle n'a pas eu de dommages.

→ ....

....

c. Julie : Vous avez fait un constat d'accident ?
Adrien : Oui, on a fait un constat.

→ ....

....

d. Julie : L'autre conducteur avait une assurance ?
Adrien : Oui, il avait une assurance.

→ ....

....

e. Julie : Tu as pensé à vérifier son numéro d'immatriculation ?
Adrien : Oui, j'ai pensé à vérifier son numéro d'immatriculation.

→ ....

....

f. Julie : Il a bien signé le constat ?
Adrien : Oui, il a signé le constat.

→ ....

....

g. Julie : Tu as appelé le garagiste ?
Adrien : Non, je n'ai pas appelé le garagiste.

→ ....

....

2. EXPRIMER L'ANTÉRIORITÉ DANS L'ACTION. Utilisez le plus-que-parfait.

a. Je n'ai pas pu redémarrer, je *(caler)* ....

b. Elle n'a rien vu ; elle *(se garer)* ....

c. Nous sommes arrivés en retard ; pourtant nous *(se dépêcher)* ....

d. Souvenez-vous, vous nous aviez vus et vous *(ne pas s'arrêter)* ....

e. Avant d'acheter cette voiture, elle *(essayer)* .... beaucoup de modèles.

f. Avant de démarrer, il *(vérifier)* .... s'il avait encore de l'essence.

3. Ils disent ce qui s'est passé avant... Complétez.

Pendant les vacances, j'ai laissé mon appartement à des amis ; quand je suis rentré, ils...

a. faire le ménage → ....

b. entretenir les plantes → ....

c. remplir le frigidaire de nourriture → ....

d. nettoyer le balcon → ....

e. acheter un joli bouquet → ....

f. repeindre une vieille table → ....

4. RACONTER AU PASSÉ. Mettez les verbes au temps qui convient.

a. Quand nos amis sont arrivés, je *(ne rien pouvoir)* .... faire pour les accueillir.
Je leur *(dire)* .... que j'*(accepter)* .... de rester à l'école,
que j'*(aider)* .... les enfants en difficulté.

b. Le journaliste a écrit que le comédien *(commencer)* .... très jeune à faire du cinéma
mais qu'il *(ne pas connaître)* .... le succès tout de suite, qu'il *(se présenter)* ....
à de nombreux essais pour obtenir des rôles ; qu'il *(vivre)* .... en faisant des petits boulots ;
qu'il *(même écrire)* .... des scénarios qu'il *(ne pas signer)* ....
et qu'il *(jouer)* .... des scènes qui *(être)* .... coupées au montage !!!

Oral

1. Racontez en utilisant le style indirect et le plus-que-parfait.

N° 32   *Incident*

a. Comment ça a pu arriver ?

→ **J'ai demandé comment ça avait pu arriver.**

b. Qu'est-ce qui s'est passé ?

→ ....

c. Je ne l'ai pas fait exprès.

→ ....

d. Je ne l'ai pas cru.

→ ....

e. Je ne m'en suis pas rendu compte.

→ ....

Unité 3 - Leçon 3 - Gérer un problème

Vocabulaire

1. Apprenez le vocabulaire.

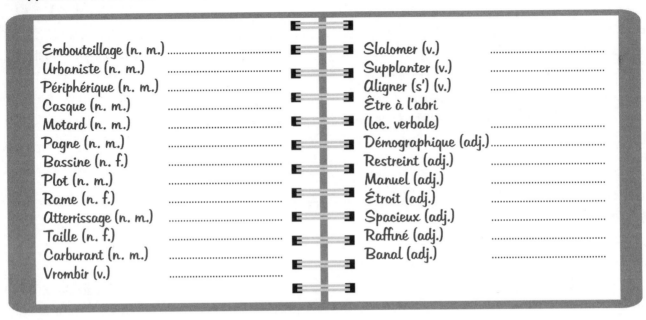

Embouteillage (n. m.) ....
Urbaniste (n. m.) ....
Périphérique (n. m.) ....
Casque (n. m.) ....
Motard (n. m.) ....
Pagne (n. m.) ....
Bassine (n. f.) ....
Plot (n. m.) ....
Rame (n. f.) ....
Atterrissage (n. m.) ....
Taille (n. f.) ....
Carburant (n. m.) ....
Vrombir (v.) ....

Slalomer (v.) ....
Supplanter (v.) ....
Aligner (s') (v.) ....
Être à l'abri
(loc. verbale) ....
Démographique (adj.) ....
Restreint (adj.) ....
Manuel (adj.) ....
Étroit (adj.) ....
Spacieux (adj.) ....
Raffiné (adj.) ....
Banal (adj.) ....

2. EXPLIQUER LES MOTS. Associez le sens aux mots suivants.

a. Un motard

b. Un périphérique

c. Un embouteillage

d. Une rame

e. Un mode

f. Un deux roues

1. Encombrement de véhicules qui arrêtent la circulation

2. Motos, vélos, vespas en font partie

3. Conducteur de moto

4. Wagons du métro attachés ensemble

5. Boulevard qui contourne une ville

6. Type de transport

3. À quel mode de transport se rapportent ces expressions ? Dans quel lieu peut-on les entendre ?

a. La station est fermée au public. → ....

b. Éloignez-vous de la bordure du quai. → ....

c. Vous êtes invités à vous présenter Porte 43. → ....

d. Prenez garde à la fermeture automatique des portes. → ....

e. Notre personnel au sol est à votre disposition. → ....

f. Merci de patienter quelques instants. → ....

4. Lisez les avis « Tripadvisor » (Livre de l'élève, p. 55). Classez les adjectifs utilisés suivant qu'ils se rapportent...

a. au confort :

....

b. au prix :

....

c. à la convivialité :

....

d. au service :

....

e. à la cuisine :

....

5. Utilisez des adjectifs de l'exercice 4 pour compléter les expressions.

a. Un esprit ....

b. Un livre ....

c. Une attitude ....

d. Une situation ....

e. Une opinion ....

Oral

1. Réécoutez la séquence radio (Livre de l'élève, p. 54). Vérifiez la compréhension, répondez aux questions.

N° 33

a. Quels sont les modes de circulation qui prennent peu d'espaces ?

....

b. Quelle est la grande préoccupation à Ouagadougou ?

....

c. Comment circule-t-on à moto à Paris ?

....

d. Comment circule-t-on à moto à Ouagadougou ?

....

2. On vous interroge sur votre travail. Répondez avec *oui* ou *non*.

N° 34

a. – Tu as beaucoup de boulot en ce moment ?

– Oui, j'en ai beaucoup.

– Non, je n'en ai pas beaucoup.

b. – Tu peux quand même prendre des vacances ?

– ....

– ....

c. – Tu vas toujours à l'étranger ?

– ....

– ....

d. – Tu as eu une promotion ?

– ....

– ....

e. – Tu as fait une formation ?

– ....

– ....

3. Écoutez le reportage sur le succès d'Autolib' à Paris et répondez aux questions.

N° 35

a. À quoi correspondent ces chiffres ?

1. 200 000 : ....

2. 71 : ....

3. 2 900 : ....

4. 5 000 : ....

5. 900 : ....

6. 70 000 : ....

7. 28 000 : ....

b. Comment s'appelle... ?

1. le syndicat qui gère le dispositif « Autolib' » :

....

2. le groupe qui a développé le concept :

....

3. la voiture électrique :

....

4. le réseau social de partage :

....

c. Retrouvez les déclarations de Marie-Pierre de la Gontrie :

....

....

....

Écrit et civilisation

1. Lisez le texte et répondez aux questions.

Le succès des hébergements originaux

Tipis, tentes « safari », lodges, cabanes dans les arbres ou sur l'eau, l'offre ne cesse de s'accroître et les touristes en raffolent.

⌄ AU CŒUR DES ÉTANGS
En immersion avec les animaux au Domaine de la Dombes
La dernière nouveauté du domaine de la Dombes se situe à 4,50 m de haut. Au cœur d'un parc où se baladent une famille de daims, des mouflons, des sangliers et des cerfs sika, les visiteurs s'élèvent pour vivre une expérience unique. Du haut de son hébergement sur pilotis, l'hôte observe les animaux ; il vit au-dessus d'eux. Une immersion qui prend encore plus d'ampleur au moment où le soleil se couche sur l'étang avoisinant. Après avoir observé la faune durant la journée, voici maintenant que les bêtes se font entendre. Un marcassin qui se gratte contre les pieds de la cabane, deux cerfs échangent quelques coups de cornes, toute une somme de petits bruits qui plongent le visiteur au cœur de la nature.

⌄ MONTREVEL-EN-BRESSE
Tipis et tentes « safari » à la Plaine Tonique
À Montrevel-en-Bresse, la magnifique base de plein air est le royaume du camping. Les Hollandais, fidèles au lieu, ne s'y sont pas trompés. En haute saison, 2 000 campeurs occupent les 417 emplacements pour tentes et caravanes, les 96 mobil-homes, les huit tipis et les dix tentes « safari ». [...] Si les tipis sont assez sommaires en matière de confort, côté camp d'indiens avec des petits tipis et des tapis de sol, les plus grands

ont tout de même quatre couchages avec sommiers, mais tous dans la même pièce circulaire. [...]
Dans les tentes « safari » au très joli look de lodges africains, le confort est plus important mais pas l'intimité : trois grands couchages séparés par une simple toile. [...] L'avantage du site, c'est son ombrage, ses activités, ses espaces aquatiques, sa plage, ses loisirs sportifs et ses animations. Et ça fait cinquante ans que ça dure !

⌄ TREFFORT-CUISIAT
À la Grange du Pin, les lodges font le plein
Ils s'appellent Mokoro pour le plus grand et Impala pour le plus petit. Ce sont les deux lodges dont s'est dotée la Grange du Pin, des hébergements hybrides, à mi-chemin entre la cabane et la tente et qui cultivent un esprit « safari ». [...]
Pour la famille Orgé, originaire de la région, le lodge Mokoro offre un peu d'exotisme sans partir loin, et à un prix raisonnable [...] « C'est un concept séduisant dans le sens où cela allie le plaisir de dormir dans la tente, notamment pour les enfants, et le confort d'un chalet. » Derrière leur habitation exotique, les enfants partent à l'aventure dans les bois. [...] Pas de télé ni d'ordinateur, mais les bambins se contentent de plaisirs simples sans sourciller. [...]

Kévin Michaud, Corinne Garay, Lucas Lallemand,
Voix de l'Ain, 12 août 2016.

a. Quelles sont les offres spécifiques des trois lieux évoqués dans l'article ?

....

....

b. Décrivez chacun des hébergements.
1. Cabane sur pilotis :

....

2. Tipi :

....

3. Lodge :

....

c. Quels contacts avec la nature offrent-ils ?

....

....

d. Quels sont les avantages de chacun des lieux ?
1. Domaine des Dombes :

....

2. Plaine Tonique :

....

3. La Grange du Pin :

....

Unité 3 - Leçon 4 - Parler des moyens de transport

Vocabulaire

1. Apprenez le vocabulaire.

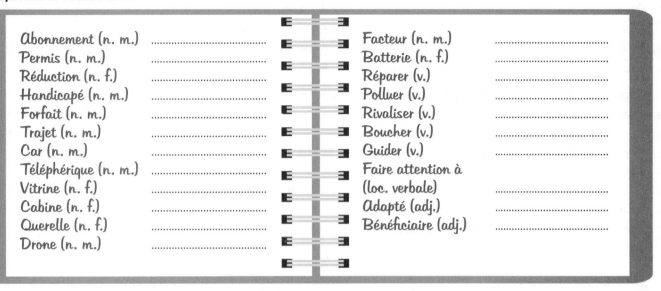

Abonnement (n. m.) ....

Permis (n. m.) ....

Réduction (n. f.) ....

Handicapé (n. m.) ....

Forfait (n. m.) ....

Trajet (n. m.) ....

Car (n. m.) ....

Téléphérique (n. m.) ....

Vitrine (n. f.) ....

Cabine (n. f.) ....

Querelle (n. f.) ....

Drone (n. m.) ....

Facteur (n. m.) ....

Batterie (n. f.) ....

Réparer (v.) ....

Polluer (v.) ....

Rivaliser (v.) ....

Boucher (v.) ....

Guider (v.) ....

Faire attention à
(loc. verbale) ....

Adapté (adj.) ....

Bénéficiaire (adj.) ....

2. Vérifiez la compréhension du reportage vidéo « Êtes-vous Vélib ? » (Livre de l'élève, p. 56). Complétez.

a. J'aime Vélib...

• Thierry :

J'en avais assez ....

J'ai trouvé ....

Ça te revient ....

C'est un moyen de transport ....

Le meilleur moyen de ....

• Nagisa :

C'est ....

Ça encourage ....

b. Mais je trouve qu'à Paris...

• Nagisa :

C'est compliqué ....

Il y a peu ....

Il manque ....

3. Avantages et inconvénients. Caractérisez avec les adjectifs de la liste.

écologique ; compliqué ; dangereux ; bon marché ; pratique ; adapté

Circulation

a. Il y a beaucoup d'accidents sur cette route, elle est ....

b. Pour aller au travail, j'ai un arrêt de bus en face de la maison, c'est ....

c. Ici les bus et les trams circulent en partie ou totalement à l'électricité, c'est ....

d. Pour accéder au bus, il y a des plateformes pour les handicapés, c'est ....

e. Avec le pass Navigo, on peut circuler partout pour le même prix, c'est ....

f. J'aimerais bien venir vous voir plus souvent, mais je n'ai pas de transport le week-end, c'est ....

4. Trouvez le contraire puis associez cet adjectif avec un mot de la liste.

a. bon marché ≠ ....   **1.** un être ....

b. compliqué ≠ ....   **2.** un esprit ....

c. dangereux ≠ ....   **3.** un lieu ....

d. pratique ≠ ....   **4.** une solution ....

e. écologique ≠ ....   **5.** des propos ....

f. adapté ≠ ....   **6.** un service ....

5. Conseiller, mettre en garde. **Complétez avec les expressions de l'encadré.**

a. Vous avez le temps, ne roulez pas trop vite, ... !

b. Si un orage éclate, ... mais pas sous un arbre !

c. Au bord de l'océan, sur la plage, il y a toujours beaucoup de vent. .... du vent et n'oublie pas ton K-way.

d. Je ...., tu arrives encore une fois en retard et c'est la porte !

e. Aucun respect des consignes de sécurité ! Vraiment tu .... !

f. Qu'est-ce qui est écrit ici ? « Soyez prudents ! ». Et vous, vous .... !

• Conseiller la prudence
Sois prudent(e)… – Mets-toi à l'abri… –
Protège-toi de (contre)… – Mets tes bijoux
en sécurité dans le coffre de l'hôtel…

• Mettre en garde contre une imprudence
Tu es imprudent(e)… – Tu commets des imprudences…
– Je t'avertis… – Je te mets en garde : ce que tu fais
est dangereux !
Tu prends des risques… – Tu risques de te blesser…
• Exprimer la peur – encourager (voir « Outils »,
unité 2, p. 47 du Livre de l'élève)

Grammaire

1. Voyager au meilleur prix. **Relisez le Point Infos (Livre de l'élève, p. 56). Comparez les coûts des différents transports. Complétez.**

a. Les billets de train sont .... chers si on prend les billets à l'avance.

b. Le ticket de métro individuel est .... cher que le carnet.

c. Les transports entre particuliers sont .... chers que les transports collectifs.

d. Les trains sont .... chers que les cars.

e. Les cars sont .... pratiques que les trains.

f. Le trajet en taxi entre Paris et Roissy-Charles-de-Gaulle est .... cher à l'aller qu'au retour.

Oral

1. Écoutez les conseils. Cochez la bonne réponse.

N° 36

	VRAI	FAUX
a. J'utilise mes clignotants pour changer de direction.	❏	❏
b. Je suis prioritaire sur les passages piétons.	❏	❏
c. Je m'arrête pour laisser traverser les piétons.	❏	❏
d. J'utilise à tout moment mon klaxon.	❏	❏
e. Je fais attention quand je double.	❏	❏
f. Je respecte la priorité à droite.	❏	❏
g. Je m'approche au plus près de la voiture de devant.	❏	❏

Écrit et civilisation

1. Lisez le texte et répondez aux questions.

Rouler ou voler... Il faut choisir !

Des constructeurs automobiles et des designers veulent associer drones et voitures pour créer des moyens de transports parfois surprenants.

En juin 2016, le quartier de la Villette, à Paris, a accueilli un spectacle étonnant : l'inventeur canadien Alexandru Duru, perché sur un drone à huit hélices bricolé par ses soins, s'est envolé et a plané à plusieurs mètres de hauteur au-dessus d'un plan d'eau. [...] L'exploit pourrait bien préfigurer l'arrivée de nouveaux engins de transport individuel. [...] Il suffit de regarder la multitude de projets qui mettent la technologie des drones au service du transport. Pour voler ? Pas forcément, comme le prouve l'exemple de l'étonnant engin baptisé *Volvo Mobility and Immobility*. Inventé en 2015 par la designer chinoise Yuhan Zhang dans le cadre d'un projet sponsorisé par le constructeur, ce véhicule électrique se situe à mi-chemin entre un vaisseau spatial et une voiture. Comme une auto classique, il roule sur des routes avec de véritables roues qui touchent le sol.

[...] Une fois arrivé à destination, [...] chaque roue se détache de l'habitacle et va se recharger sur une borne automatique. La voiture, elle, part se garer en lévitation dans le logement du propriétaire. [...] Avec le taux d'urbanisation grandissant, il est tout à fait possible que nos populations vivent d'ici à 2050 dans des villes de plus en plus verticales. Il faudra alors inventer de nouveaux moyens de transport. [...] D'autres ingénieurs ont choisi, eux, d'utiliser les drones dans un but plus classique : faire décoller le véhicule, comme un hélicoptère. C'est le cas notamment de l'entreprise chinoise Avic, qui a inventé le concept d'une voiture qui pourrait à la fois rouler et voler grâce à six rotors. Son nom : la « Gazelle rapide » !

Magazine Le Parisien, septembre 2016.

a. Rapprochez les noms à leurs projets.

1. Alexandru Duru : ....

2. Yuhan Zhang : ....

3. Avic : ....

b. Qu'est-ce qui caractérise... ?

1. la « Volvo Mobility and Immobility » : ....

2. la « Gazelle rapide » : ....

c. À quelle problématique répondent ces projets ?

....

Vocabulaire

1. Apprenez le vocabulaire.

Guérisseur (n. m.) ....
Carcasse (n .f.) ....
Climatiseur (n. m.) ....
Autorisation (n. f.) ....
Déserter (v.) ....
Renforcer (v.) ....

Accrocher (s') (v.) ....
Accoucher (v.) ....
Minière (adj.) ....
Goudronné (adj.) ....
Improbable (adj.) ....

2. Vérifiez la compréhension des trois témoignages d'Antoine de Maximy (Livre de l'élève, p. 58-59). Lisez les récits des trois rencontres et complétez.

a. Type de récits :

....

b. 1er extrait, portrait : établissez la carte d'identité.

Nom : ....

Âge : ....

Expérience : ....

c. 2e extrait, description : complétez.

Où : ....

À propos de quoi : ....

Spécificité : ....

d. 3e extrait, incident : Trouvez...

Les protagonistes : ....

....

Le lieu : ....

....

L'objet de l'incident : ....

....

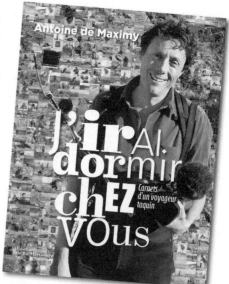

3. Caractérisez un personnage, un lieu, un évènement avec un adjectif de l'encadré.

a. Il a un comportement inhabituel, qu'on a du mal à expliquer, il a un comportement ....

b. Il est très différent des autres personnes que j'ai rencontrées ; il est ....

c. Il est de ces personnalités que l'on aimerait rencontrer plus souvent : c'est une personnalité ....

d. Cette rencontre tient lieu du miracle. C'est une rencontre ....

e. On a vraiment vécu une aventure qui sort de l'ordinaire, une aventure ....

f. C'est un lieu comme on en voit qu'au cinéma, sorti de l'imagination, c'est un lieu ....

• **L'originalité**
un lieu... un personnage... bizarre, original, particulier, insolite, étrange, inhabituel, curieux, rare
• **L'extraordinaire**
une rencontre... une aventure... extraordinaire, formidable, fantastique, prodigieuse, sensationnelle
• **La surprise**
surprendre (cet homme m'a surpris – il est surprenant)
marquer (cette rencontre m'a marqué – elle est marquante)
étonner (ce paysage m'a étonné – il est étonnant)
s'attendre à... (Je ne m'attendais pas à une ville aussi triste)
remarquer – marquer (ce lieu m'a marqué – il est remarquable)

---

4. EXPRIMER LA SURPRISE. Aidez-vous de l'encadré pour compléter les phrases.

a. Il n'est jamais là où on l'attend ; il n'arrête pas de me ....

b. Sans elle, sans ce qu'elle m'a appris, ma vie aurait été très différente ; elle m'a profondément ....

c. On m'en avait fait une présentation peu flatteuse ; il m'a ....

d. On m'avait dit, tu verras, c'est un choc ! Alors franchement, je ne .... pas à un choc pareil.

e. C'est un film .... Depuis, il m'accompagne toujours.

Grammaire

1. Mettez au passé les verbes du témoignage suivant.

Je **m'envolais** pour Coober Pedy, une ville minière située dans l'*outback*, en plein désert. Quand je *(sortir)* .... du petit avion, c'est le choc ! Quel endroit à part ! Quelques rues goudronnées, quelques magasins. Pour couronner le tout, c'*(être)* .... ici qu'*(tourner)* .... le film *Mad Max*. Des carcasses de véhicules improbables venues d'ailleurs *(traîner)* .... dans les rues. Ça *(renforcer)* .... l'impression de bout du monde.
Avant l'arrivée des premiers climatiseurs, il y *(avoir)* .... quelques dizaines d'années, les gens *(prendre)* .... l'habitude de vivre sous terre dans ce qu'ils *(appeler)* .... « *dugouts* »... C'*(être)* .... le meilleur moyen de se protéger de l'écrasante chaleur de l'été.

COMPRÉHENSION DE L'ORAL

N° 37

Écoutez le reportage. Répondez brièvement aux questions avec les mots du document sonore.
Des vacances en mode collaboratif

1. Comment s'est passé le voyage de Damien ?
....

2. Qui est Éric avec lequel il a fait le trajet Paris-La Rochelle ?
....

3. Quel type d'hébergement offre Étienne dans le Médoc ?
....

4. Qu'est-ce qu'organise Jean-Jacques ?
....

5. Avec qui a-t-il fait la dernière étape du trajet entre Bordeaux et Bayonne ?
....

COMPRÉHENSION DES ÉCRITS

Lisez le document. Dégagez, pour chacun des amis, ce qui convient et ce qui ne convient pas.
Soirée télé
Alexandre et Catherine ont invité des amis pour une soirée télé. Alexandre est passionné de foot que Catherine déteste.
Elle préfère les séries ou les films policiers. Noah s'intéresse à la politique mais aime bien aussi les séries. Sa compagne Laura,
elle adore tout ce qui touche à la maison : la cuisine, la décoration. Quant à Pedro, lui, il aime le foot et les films policiers.

TF1 21:00
L'arme fatale
Série. Action. 2016. Saison 1. 45 mn 1/18. Avec Damon Wayans
et Clayne Crawford.
Une équipe de choc. Martin Riggs, un jeune policier un peu détraqué, fait équipe
avec Roger Murtaugh, un vétéran surtout soucieux de conserver un rythme de vie
tranquille.

France 2 20:55
La Famille Bélier
Comédie. 2014. Réalisation : Eric Lartigau. 1 h 46. Avec Karin Viard,
François Damiens, Eric Elmosnino et Louane Emera.
Dans sa famille où tout le monde est sourd sauf elle, une adolescente se découvre
un don pour le chant. Mais réussir un concours signifie quitter les siens.

Canal + 21:00
Nice / PSG
Football. Championnat de France, Ligue 1. 35e journée.
Les deux clubs jouent gros, puisque le perdant pourrait perdre et le titre
et la deuxième place au classement. Ambiance électrique assurée.

M6 21:00
Le meilleur pâtissier : les professionnels
Jeu. Présentation F. Bollaert. Avec la participation de Cyril Lignac,
Philippe Conticini, Pierre Hermé et Frédéric Bau. 2 h 20.
Après avoir revisité le fraisier et le mont-blanc, les pâtissiers professionnels doivent
réaliser une pièce en chocolat sur le thème des animaux de la jungle…

Arte 20:55
Victoria
Thriller. All. 2015. Réalisation : Sebastian Schipper. 2 h 14. VOST.
Avec : Laia Costa, Frederick Lau, Franz Rogowski, Burak Yiğit.
Alors que le jour se lève sur Berlin, une jeune espagnole qui a fait la fête toute
la nuit se lie d'amitié avec quatre sympathiques marginaux…

France 5 22:55
C dans l'air
Magazine. Information. Présentation : Caroline Roux.
Les clés pour comprendre dans sa globalité, jour après jour, un enjeu de la campagne
présidentielle.

Le Parisien, TV Magazine, 30/04/2017

	TF1		France 2		Canal+		M6		Arte		France 5	
	convient	ne convient pas	convient	ne convient pas	convient	ne convient pas	convient	ne convient pas	convient	ne convient pas	convient	ne convient pas
Alexandre												
Catherine												
Noah												
Laura												
Pedro												

PRODUCTION ORALE

1. Entretien dirigé
Quels pays en dehors de la France avez-vous déjà visités ?

2. Exercice en interaction
Vous avez décidé de partir en vacances avec un ou une ami(e). Vous devez choisir la destination, les dates, les modalités de transport, le type d'hébergement, décider des grandes lignes du programme.

3. Expression d'un point de vue
Les questions de circulation posent des problèmes de plus en plus nombreux. La voiture reste-t-elle l'unique solution aux problèmes de transport ?

PRODUCTION ÉCRITE

Vous êtes parti(e) pour un voyage d'études dans une ville francophone. Vous faites le compte-rendu de ce voyage où vous faites la part de ce qui vous a séduit et des problèmes que vous avez rencontrés. (160-180 mots)

....
....
....
....
....
....
....
....
....

Vocabulaire

1. Apprenez le vocabulaire.

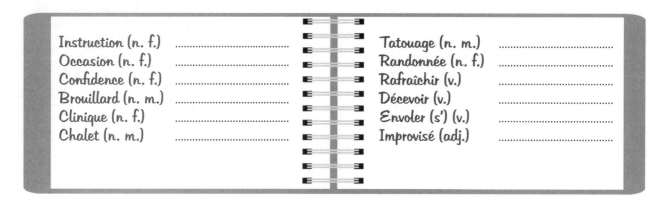

Instruction (n. f.) ....
Occasion (n. f.) ....
Confidence (n. f.) ....
Brouillard (n. m.) ....
Clinique (n. f.) ....
Chalet (n. m.) ....

Tatouage (n. m.) ....
Randonnée (n. f.) ....
Rafraîchir (v.) ....
Décevoir (v.) ....
Envoler (s') (v.) ....
Improvisé (adj.) ....

2. Vérifiez la compréhension du courriel (Livre de l'élève, p. 64). Retrouvez les informations suivantes.

a. De quel évènement s'agit-il ?

....

b. Qui sont les protagonistes de l'évènement ?

....

c. Quelles sont les caractéristiques de l'évènement ?

....

d. Quelles ont été les conséquences de l'évènement ?

....

e. Les conséquences étaient-elles prévisibles ?

....

3. Du verbe au substantif. Complétez.

a. Évoquer → .... d'une soirée réussie.

b. Se souvenir → .... d'une rencontre surprenante.

c. Raconter → .... d'un incident malheureux.

d. Se rappeler → .... d'une drôle d'affaire.

e. Décrire → .... d'un lieu magique.

4. Caractérisez. Utilisez les adjectifs de la liste.

exotique ; sentimental ; improvisé ; enthousiaste ; amusant ; magnifique

a. Il a eu un accueil .... : le public applaudissait debout.

b. Un dîner .... : on a tout préparé à la dernière minute.

c. Un pays .... : tout nous semblait très loin de ce que nous connaissions.

d. Une soirée .... : on a beaucoup ri !

e. Une exposition .... : il n'y a que des chefs d'œuvre à voir.

f. Un voyage .... : on est parti en amoureux.

Grammaire

1. Regardez ces deux photos. Qu'est-ce qui a changé ?
Mettez les verbes au temps qui convient.

Paris avant/après : rue Soufflot

La rue *(être)* .... déserte. Il n'y *(avoir)* .... pas de voitures.

Des jardins *(occuper)* .... un côté de la rue.

Aujourd'hui, des immeubles *(construire)* .... De nouveaux commerces

(apparaître) .... Des voitures *(envahir)* .... la rue.

Mais les réverbères *(rester)* .... les mêmes.

2. Complétez ce témoignage en employant les temps du récit au passé.

« J'ai commencé à travailler très jeune. Pour poursuivre mes études, *(je ; ne pas avoir)* ....

beaucoup d'argent. *(je ; être obligé)* .... de faire de nombreux métiers.

(je ; travailler) .... souvent le soir et le week-end

car *(je ; avoir)* .... des cours en semaine et pendant la journée.

(je ; devoir) .... aller à la bibliothèque

où *(je ; passer)* .... beaucoup de temps à faire des recherches.

Quand *(je ; réussir)* .... mon examen, *(je ; trouver)* ....

assez rapidement un travail. À cette époque, c'*(être)* .... facile. »

14 août	Montréal : visite de la vieille ville
15 août	Montréal : entretiens
16 août	**retour en France**
17 août	Paris → Marseille
18 août	Toulon
19 août	Nice
▼
24 août	Nice
25 août	départ Lisbonne

3. Voici l'agenda de Paul. Complétez son emploi du temps
avec les indicateurs de temps du tableau p. 74 (Livre de l'élève).

« Aujourd'hui, 16 août, je suis rentré en France. ....

j'étais encore à Montréal pour des entretiens et ....

nous avons visité la vieille ville. ....,

je pars à Marseille et ....

je serai à Toulon. .... j'irai à Nice et j'y resterai

jusqu'à .... je m'envolerai

pour Lisbonne. »

Oral

1. Écoutez. Distinguez [a] et [ã]. Cochez.

Nous avons eu de beaux moments...

N° 38

	[a]	[ã]
a. ... extravagants,		
b. ... enthousiasmants,		
c. ... embarrassants,		
d. ... encourageants,		
e. ... insolents,		
f. ... attentifs,		
g. ... attendrissants.		

2. SE SOUVENIR, SE RAPPELER, RETENIR. **Répondez par *oui* ou par *non*.**

N° 39

a. – Vous vous souvenez de vos premières vacances ?

– Oui, je m'en souviens. / Non, je ne m'en souviens pas.

b. – Vous vous souvenez de votre première sortie en boîte ?

– ....

c. – Vos copains se rappellent cette sortie ?

– ....

d. – Vous vous souvenez du premier livre que vous avez lu ?

– ....

e. – Vous avez retenu les prénoms de vos copains d'école ?

– ....

3. MICRO-TROTTOIR. **Écoutez. Classez les informations dans le tableau.**

N° 40 *Le plus beau souvenir de ma vie...*

Type de souvenirs	Témoignage 1	Témoignage 2	Témoignage 3	Témoignage 4	Témoignage 5	Témoignage 6	Témoignage 7
a. Familial							
b. Scolaire							
c. Amical							
d. Amoureux							
e. Professionnel							
f. Esthétique							
g. Touristique							

Unité 4 - Leçon 2 - Faire face à un problème

Vocabulaire

1. Apprenez le vocabulaire.

Cauchemar (n. m.)........................

Carnage (n. m.) ....

Crise (n. f.) ....

Conflit (n. m.) ....

Divorce (n. m.) ....

Option (n. f.) ....

Admettre (v.) ....

Acclimater (s') (v.) ....

Ignorer (s') (v.) ....

Gâcher (v.) ....

Illisible (adj.) ....

Honnête (adj.) ....

2. Vérifiez la compréhension de la scène (extrait de *Le Mensonge*, Livre de l'élève p. 66). Retrouvez les mots qui expriment les conséquences de l'obligation de se dire la vérité.

a. Cas général : ....

b. Cas particulier : ....

c. Cas de Laurence et Michel : ....

d. Cas de Michel : ....

3. Dites ce qui se passe. Utilisez les mots de la liste.

une crise ; un conflit ; un cauchemar ; un divorce ; un carnage

a. Il s'est réveillé en pleine nuit ; il a fait ....

b. Il y a eu un accident ; il y a des blessés et de nombreux morts : .... !

c. La situation économique est très mauvaise, c'est .... qui va durer.

d. Il y a .... entre eux : tous les deux veulent avoir la garde de l'enfant.

e. Rien ne va plus entre eux ; ils vont se séparer ; ça va se terminer par ....

4. Trouvez le contraire.

a. la vérité ≠ ....

b. l'honnêteté ≠ ....

c. la confiance ≠ ....

d. la sincérité ≠ ....

e. la modestie ≠ ....

f. la fierté ≠ ....

5. Qu'est-ce qu'ils font quand ils se disent... ? Utilisez les mots de la liste.

ils se disputent ; ils se détestent ; ils se réconcilient ; ils s'excusent ; ils s'expliquent

a. « N'en parlons plus et faisons comme si rien ne s'était passé. » → ....

b. « Je suis vraiment désolé, je n'aurais pas dû agir comme j'ai agi... – Et moi non plus ! » → ....

c. « Cette fois, ça suffit ! Taisez-vous ! Et vous aussi ! » → ....

d. « D'abord j'aurais dû être plus précis dans ma demande. – Et moi, j'aurais dû... » → ....

e. « Lui, je ne peux pas le voir ! Et elle, elle m'en veut. » → ....

Grammaire

1. Dites-le avec des *si*.

Incidents

a. Ils n'ont pas été attentifs ; ils ont eu un accident.

→ **S'ils avaient été attentifs, ils n'auraient pas eu un accident.**

b. Ils ne se sont pas bien informés ; ils sont tombés dans des embouteillages.

→ ....

c. Ils sont partis trop tard ; ils ont raté l'avion.

→ ....

d. Ils ont mal noté l'itinéraire ; ils n'ont pas trouvé la maison.

→ ....

e. Ils ne sont pas descendus à la bonne station de métro ; ils ont manqué le rendez-vous.

→ ....

2. Regrets. Conjuguez au temps qui convient.

Ah ! Si vous aviez suivi mes conseils...

a. Vous *(trouver)* .... plus facilement la solution.

b. Vous *(ne pas perdre)* .... du temps à faire des recherches inutiles.

c. Vous *(orienter)* .... vos collègues sur de bonnes pistes de travail.

d. Vous *(rencontrer)* .... moins de difficultés avec eux.

e. Vous *(finir)* .... dans les délais.

f. Vous *(ne pas défendre)* .... des solutions impossibles à mettre en œuvre.

3. Suppositions. Conjuguez au temps qui convient.

Si j'avais choisi pour ce poste le bon candidat...

a. Nous *(ne pas avoir tous ces ennuis)* ....

b. Je *(obtenir de meilleurs résultats)* ....

c. Nous *(gagner du temps)* ....

d. Tu *(ne pas devoir refaire le travail mal fait)* ....

e. Nous *(éviter des conflits)* ....

f. Je *(pouvoir réagir plus vite)* ....

4. Avec des si... Conjuguez au temps qui convient.

Si j'avais su, ...

a. *(arrêter de fumer avant que les ennuis commencent)*

→ je ....

b. *(partir vivre avec toi, très loin dans le Sud)*

→ je ....

c. *(faire ce voyage dont nous avons tellement rêvé)*

→ nous ....

d. *(apprendre à jouer d'un instrument de musique)*

→ je ....

e. *(aller jusqu'en Patagonie)*

→ nous ....

f. *(prendre le temps de voir plus souvent nos amis)*

→ nous ....

Oral

1. Suppositions. Utilisez le conditionnel passé.
N° 41

a. – Tu n'es pas venue. Je n'ai pas organisé de fête.
– Tu aurais organisé une fête ?

b. – Tu n'es pas venue. Tu n'as pas rencontré mes amis argentins.

– ....

c. – Tu n'es pas venue. Tu n'as pas discuté avec eux.

– ....

d. – Tu n'es pas venue. Tu n'as pas vu mon copain Christophe.

– ....

e. – Tu n'es pas venue. Tu n'as pas pu apprécier ma cuisine.

– ....

Écrit et civilisation

1. Lisez le texte et répondez aux questions.

À l'ère des relations floues
Camaraderie, manipulation, autorité, copinage… Pas facile de s'y retrouver aujourd'hui en matière de liens.

Vous êtes invité à dîner chez des collègues. Il y a ces convives que vous ne connaissez pas et qui se lèvent pour vous « faire la bise » affectueusement avant même que vous n'ayez été présentés ; au bureau, il y a ce supérieur hiérarchique qui, le matin, vous confie ses problèmes de couple, et, le soir, vous donne de nouvelles consignes de travail sur un ton froid et dédaigneux. Quant à vos charmants voisins, avec qui vous célébrez chaque année la fête de l'immeuble, occasion de se retrouver joyeux et « connectés » comme dans une famille idéale, ils vous saluent du bout des lèvres quand vous les croisez, les autres jours, dans l'escalier.
Ces légers « décalages relationnels » que chacun, s'il y est attentif, peut observer au quotidien, dessinent, lorsqu'ils se multiplient, une ambiance de malaise. Ce sont des interactions par « flashs », des alliances discontinues entre intime et plus lointain qui peuvent amener à douter des liens neufs (ou même anciens) que chacun tisse (cette incertitude glauque est notamment restituée avec finesse dans les livres de Michel Houellebecq). […]
Le philosophe Pierre Le Coz attribue « *l'avènement du mufle affectif* » à la toute puissance émotionnelle qui traverse notre société. Le fait que ce soit nos engouements, puis nos indignations qui prennent le dessus et que l'impulsivité triomphe. Premiers responsables de ce « tout affectif » ? Les supports d'informations qui cherchent avant tout à exciter, à capturer les mécanismes émotionnels du public. […] « *Certes*, explique l'auteur du *Gouvernement des émotions* (Albin Michel), *cette idéologie spontanéiste qui prône la libération des ressentis date de la fin des années 1960. Mais aujourd'hui, à travers les nouveaux outils technologiques (tweets et buzz…), le phénomène d'érosion des repères relationnels s'accentue, comme si l'on vivait une réplique sismique de Mai 68* » (…)
Pour sortir du chaud-froid émotionnel qui trouble les esprits et génère beaucoup d'angoisse en chacun, Pierre Le Coz propose de revaloriser dans nos vies les émotions plus authentiques, celles que procurent l'art, les nourritures culturelles, les fictions de qualité. « *Car alors, nous nous immergeons dans des expériences émotionnelles fines et complexes, moins binaires que celles que nous rencontrons au quotidien.* »

Pascale Senk, *Le Figaro*, 29 septembre 2014.

a. Retrouvez les trois exemples de « relations floues » que donne la journaliste.

....
....
....

b. À quel domaine relationnel appartient chacun de ces exemples ?

1. ....
2. ....
3. ....

c. Quelles sont les conséquences de ces « relations floues » sur notre perception de la relation avec les autres ?

....
....

d. Quel écrivain actuel a très bien décrit ce type de relations ?

....

e. À quoi le philosophe Pierre Le Coz attribue-t-il ce dérèglement émotionnel ?

....

f. Quels conseils donne-t-il pour y remédier ?

....

Unité 4 - Leçon 3 - Parler de ses amis

Vocabulaire

1. **Apprenez le vocabulaire.**

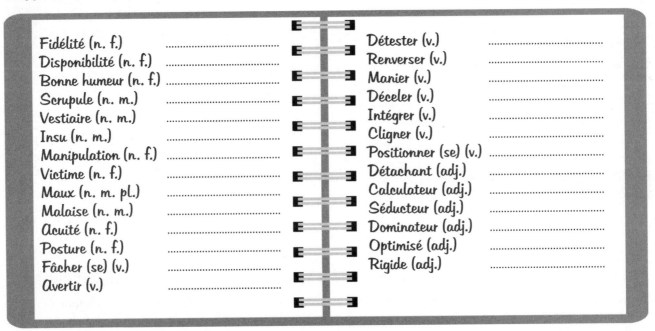

Fidélité (n. f.) ....
Disponibilité (n. f.) ....
Bonne humeur (n. f.) ....
Scrupule (n. m.) ....
Vestiaire (n. m.) ....
Insu (n. m.) ....
Manipulation (n. f.) ....
Victime (n. f.) ....
Maux (n. m. pl.) ....
Malaise (n. m.) ....
Acuité (n. f.) ....
Posture (n. f.) ....
Fâcher (se) (v.) ....
Avertir (v.) ....

Détester (v.) ....
Renverser (v.) ....
Manier (v.) ....
Déceler (v.) ....
Intégrer (v.) ....
Cligner (v.) ....
Positionner (se) (v.) ....
Détachant (adj.) ....
Calculateur (adj.) ....
Séducteur (adj.) ....
Dominateur (adj.) ....
Optimisé (adj.) ....
Rigide (adj.) ....

2. **DU SUBSTANTIF À L'ADJECTIF. Complétez.**

a. La fidélité → C'est un ami ....

b. La disponibilité → Il est toujours ....

c. La générosité → Elle est .... de son temps.

d. La sincérité → Elle a toujours été .... avec moi.

e. La sociabilité → Je suis surpris, il est très ....

f. L'égoïsme → Il ne pense qu'à lui, il est très ....

3. **Associez les adjectifs de la liste et leur définition.**

manipulateur (-trice) ; calculateur (-trice) ; séducteur (-trice) ; rationnel(le) ; dominateur (-trice) ; intelligent(e)

a. Il ne recule devant aucun moyen pour plaire. → Il est ....

b. Elle comprend bien les choses et s'adapte à toutes les situations. → Elle est ....

c. Il cherche à influencer quelqu'un pour le faire agir comme il veut. → Il est ....

d. Il aime tenir les gens en son pouvoir. → Il est ....

e. Elle est habile à monter des projets qui lui soient profitables. → Elle est ....

f. Elle a un comportement logique et cohérent. → Elle est ....

4. **Complétez avec un verbe de la liste.**

manier ; protéger ; garder ; influencer ; profiter ; trembler

a. .... une prise de décision.

b. .... de peur.

c. .... la carotte et le bâton.

d. .... de son pouvoir.

e. .... son sang-froid.

f. .... sa vie privée.

5. Trouvez le contraire.

Expressions

a. une personnalité rigide ≠ ....

b. un air amical ≠ ....

c. un regard agressif ≠ ....

d. un visage angoissé ≠ ....

e. un esprit indépendant ≠ ....

f. une attitude hypocrite ≠ ....

Grammaire

1. Rapportez les paroles au passé.

C'est la fête !

a. « Est-ce que tout le monde vient à la fête ? »

→ **Léo a demandé si tout le monde venait à la fête.**

b. « Oui, tout le monde a répondu positivement. »

→ Louis ....

c. « Louis, tu connais combien de personnes ? »

→ Paul ....

d. « Je connais presque tout le monde. »

→ Louis ....

e. « Ça va être la fête de l'année ! »

→ Léo ....

f. « Est-ce que Rahina viendra ? »

→ Louis ....

2. Rapportez les paroles.

Ludovic téléphone à Laura

a. Ludovic : « J'ai raté mon avion ! »

→ ....

b. Laura : « Il y en a un autre avant demain ? »

→ ....

c. Ludovic : « Non, je rentrerai demain matin. »

→ ....

d. Laura : « Tu vas prendre le premier vol ? »

→ ....

e. Ludovic : « Oui, je te promets, je n'irai pas au bureau ! »

→ ....

f. Laura : « J'espère que c'est ton dernier voyage et que tu seras plus disponible ! »

→ ....

3. LES PRONOMS PERSONNELS DANS LE DISCOURS RAPPORTÉ. **Reformulez les phrases comme dans l'exemple. Utilisez les pronoms personnels.**

Estelle a quitté Marius. Celui-ci se plaint.

a. J'ai accepté ses amis.

→ **Ses amis, je les ai acceptés.**

b. J'ai préparé de bons petits plats.

→ De bons petits plats, ...

c. J'ai fait souvent la vaisselle.

→ La vaisselle, ...

d. Nous avons invité sa famille chaque année à Noël.

→ Sa famille, ...

e. J'ai résolu les petits problèmes.

→ Les petits problèmes, ...

f. J'ai toujours pensé à ses anniversaires.

→ Ses anniversaires, ...

g. J'ai souvent pensé la quitter.

→ La quitter, ...

Oral

1. Réécoutez la séquence radio (Livre de l'élève, p. 69). Vérifiez votre compréhension. Complétez les phrases.

N° 42

a. Reconnaître un manipulateur, ça demande ....

b. Quand vous commencez à ressentir un malaise, un mal de tête, de l'angoisse, c'est que ....

.... et que votre corps a intégré que ....

c. Il faut aussi regarder l'autre ....

d. Observer les changements de posture : quelqu'un qui ....

qui .... qui ....

qui ....

2. Étonnez-vous. Transformez comme dans l'exemple.

N° 43

a. Il m'a dit « je suis chanteur ».

→ **Il t'a dit qu'il était chanteur !**

b. Je lui ai demandé : « Vous chantez des chansons ? »

→ ....

c. Il m'a répondu : « Je chante des airs d'opéra. »

→ ....

d. Il m'a dit : « J'ai chanté dans *Carmen* ! »

→ ....

e. Je lui ai demandé : « Je peux vous entendre où ? »

→ ....

f. Il m'a répondu : « À l'Opéra de Paris ! »

→ ....

Vocabulaire

1. Apprenez le vocabulaire.

Prestataire (n. m.) ....

Amont (n. m.) ....

Déplacement (n. m.) ....

Clientèle (n. f.) ....

Traiteur (n. m.) ....

Souci (n. m.) ....

Rivalité (n. f.) ....

Dépasser (v.) ....

Médire (v.) ....

Pardonner (v.) ....

Plaindre (se) (v.) ....

Acquiescer (v.) ....

Gausser (se) (v.) ....

Exigeant (adj.) ....

Rigoureux (adj.) ....

Arrogant (adj.) ....

Grossier (adj.) ....

Indiscret (adj.) ....

Médisant (adj.) ....

Macho (adj.) ....

Râleur (adj.) ....

2. Vérifiez la compréhension du reportage vidéo « Mariages : organisatrice de bonheur » (Livre de l'élève, p. 70). Répondez aux questions.

a. Comment Vanessa Toklu est-elle devenue organisatrice de mariage ?

....

b. Est-ce que l'organisation d'un mariage demande beaucoup de travail ?

....

c. Quelle est la qualité principale d'une organisatrice de mariage ?

....

d. Est-ce que les clients sont très différents les uns des autres ?

....

e. Quel est le lieu qui l'a particulièrement marquée ?

....

f. Quel est le moment qu'elle préfère ?

....

3. Caractérisez, avec les adjectifs de la liste, la personne qui prononce l'une ou l'autre de ces phrases.

médisant ; arrogant ; pessimiste ; macho ; indiscret ; râleur

a. « Le monde va mal et ça ne va pas s'améliorer... » → Il est ....

b. « Et encore une panne, ils le font exprès ! » → Elle est ....

c. « Elle fait beaucoup plus que son âge... » → Il est ....

d. « Vous gagnez combien ? » → Elle est ....

e. « Aujourd'hui, il n'y en a que pour les femmes ! » → Il est ....

f. « Vous n'avez même pas remarqué que j'étais là avant vous... » → Elle est ....

4. Trouvez le substantif qui correspond.

a. arrogant → ....

b. grossier → ....

c. indiscret → ....

d. macho → ....

e. pessimiste → ....

f. xénophobe → ....

5. Voici des remarques sur des attitudes. Associez à la bonne définition.

a. « Elle est connue pour sa gentillesse. »

b. « Il n'est que médisance ! »

c. « Ses remarques, c'est de la pure méchanceté. »

d. « Un sourire, et c'était une scène de jalousie ! »

e. « Même quand ce n'est pas satisfaisant, chacun a droit à sa bienveillance. »

f. « Allez connaître sa vérité... tout en lui respire l'hypocrisie ! »

1. Chercher à faire du mal à autrui

2. Faire preuve d'indulgence

3. Soupçonner ou avoir la certitude de l'infidélité de quelqu'un

4. Aimer dire du mal des gens

5. Montrer des sentiments que l'on n'éprouve pas

6. Posséder un caractère aimable et attentionné

6. Trouvez le contraire.

a. arrogant ≠ ....

b. grossier ≠ ....

c. indiscret ≠ ....

d. pessimiste ≠ ....

e. xénophobe ≠ ....

f. bienveillant ≠ ....

7. Retrouvez les expressions utilisées dans le texte (Livre de l'élève, p. 71). Associez aux définitions.

a. Ne pas se sentir bien : ....

b. Avoir un regard négatif : ....

c. Ne pas sentir sur soi le jugement négatif du regard d'autrui : ....

d. Exprimer son mécontentement : ....

e. Se moquer : ....

Grammaire

1. LES PRONOMS PERSONNELS DANS LE DISCOURS RAPPORTÉ. **Complétez avec un pronom.**

Une vieille dame méfiante

a. Dans l'après-midi, un homme a sonné chez moi. Je .... ai ouvert.

b. Je .... ai demandé ce qu'il voulait.

c. Il .... a annoncé que j'avais gagné un voyage en Italie.

d. Je .... ai répliqué que je n'avais participé à aucun concours !

e. L'homme a essayé de .... rassurer.

f. Mais, je ne .... ai pas fait confiance.

g. Quand mes enfants sont venus, je .... ai raconté cette histoire.

h. Ils .... ont dit que j'avais bien réagi.

Écrit et civilisation

1. Retrouvez dans le Point Infos (Livre de l'élève, p. 71) quels pays sont visés par ces recommandations.

a. Se tutoyer vite : ....

b. Arriver à l'heure : ....

c. Respecter les anciens : ....

d. Accepter une boisson de bienvenue : ....

e. Ne pas contredire quelqu'un : ....

2. Lisez le texte et répondez aux questions.

J'ai testé... le spectacle thérapeutique

« Un concept qui ne se raconte pas mais qui se vit » précise le communiqué de presse. Moi qui suis cérébrale (tendance ruminante), forcément, ça me parle ! D'autant que le programme, concocté par Nathalie Lefèvre, directrice de *Radio médecine douce*, semble très alléchant : méditation, yoga du bonheur, coaching amoureux, Biodanza (« danse de la vie »)…

[…] Première surprise : il y a foule. Au moins 500 personnes, de tous âges, se pressent dans la salle. Bandes de copains, couples… On dirait que le développement personnel gagne en parité ! […]

Aimez-vous les uns les autres

Une pluie de cœurs projetés en vidéo donne le ton. J'attendais avec impatience l'intervention de Domoïna Mockomba, psychothérapeute et guérisseuse, spécialisée dans l'accompagnement relationnel. Je suis toujours preneuse de conseils pour améliorer ma vie de couple. Je comprends que je suis, à tort, dans une logique consumériste. Domoïna nous invite plutôt à célébrer l'amour universel, à réconcilier Kento (principe féminin) et Bakala (principe masculin) pour retrouver l'Unité primordiale venant de la Source unique.

Sa voix est douce, sa présence lumineuse. […]

La musique adoucit les mœurs

Heureusement, après l'entracte, place à la musique qui, j'espère, va m'aider à me connecter à mon moi profond. Nathalie présente Côme Shelvène, médium et chanteuse, et son compagnon Yohann Vidor, énergéticien et musicien. Yocôm – nom de leur groupe – nous invite à un voyage spirituel. La lyre en cristal crée des sonorités inattendues… qui tranchent avec le programme musical proposé plus tard par Valérie Richard, coach Biodanza. Cette fois il s'agit de « se lâcher » sur « Zouglou Dance » de Magic System ou « Mexico » de Luis Mariano. Tout est permis : danser avec son voisin ou le *masser*, monter sur scène et, surtout vibrer… La salle est en transe. Il règne un esprit de partage qui fait un bien fou. Et même si, parfois je me suis crue dans un remake des *Bronzés*, – Les Bronzés font du développement personnel –, rien que pour ça, je suis tentée de revenir. Ce n'est pas tous les vendredis soir qu'on termine la semaine aussi pêchue !

Valérie Josselin / *Version Femina*

a. Qui sont ?

1. Nathalie Lefèvre : ....

2. Domoïna Mockomba : ....

3. Côme Shelvène : ....

4. Yohann Vidor : ....

5. Yocôm : ....

6. Valérie Richard : ....

b. En quoi consiste : « célébrer l'amour universel » ?

....

c. Quelle forme prend le voyage spirituel ?

....

d. Qu'est-ce que signifie concrètement : « se lâcher » ?

....

Vocabulaire

1. Apprenez le vocabulaire.

Pharmacien (n. m.) ....

Huile essentielle (n. f.) ....

Décès (n. m.) ....

Mission (n. f.) ....

Compétition (n. f.) ....

Mec (n. m.) ....

Convoquer (v.) ....

Insulter (v.) ....

Avouer (v.) ....

2. Vérifiez la compréhension du courriel de Stéphanie (Livre de l'élève, p. 72).
Classez les informations selon qu'elles portent sur... :

a. la vie familiale : ....
....

b. la vie professionnelle : ....
....

c. la vie sentimentale : ....
....

d. la vie scolaire : ....
....

e. la vie sociale : ....
....

3. Retrouvez les expressions liées aux sentiments suivants.

a. Bonheur : ....

b. Tristesse : ....

c. Sympathie : ....

d. Inquiétude : ....

e. Honte : ....

f. Incompréhension : ....

g. Jalousie : ....

h. Regret : ....

i. Satisfaction : ....

j. Plaisir : ....

4. Associez un sentiment de l'exercice précédent aux expressions suivantes.

a. « Cette nouvelle m'illumine ! » → ....

b. « J'aurais aimé te raconter des choses plus amusantes mais le cœur n'y est pas... » → ....

c. « Nous aurions tellement aimé être avec toi ! » → ....

d. « Elle a tellement travaillé ; elle mérite sa réussite ! » → ....

e. « Me faire ça à moi ! J'en rougis encore ! » → ....

f. « Mais qu'est-ce qu'elle a de plus que les autres ? » → ....

5. Trouvez l'expression contraire.

a. j'ai le plaisir ≠ ....

b. je suis heureuse ≠ ....

c. je suis fière ≠ ....

d. je suis inquiète ≠ ....

e. j'ai la joie de ≠ ....

Grammaire

1. Complétez les expressions du sentiment sur le modèle de l'exercice 5 (Livre de l'élève, p. 73).

a. Je .... content .... ta promotion.

b. Elle .... heureuse .... il ait accepté ma proposition.

c. J'............................. le plaisir .... vous annoncer mon arrivée.

d. J'............................. l'impression .... il ne veut plus nous voir.

e. J'............................. un sentiment de tristesse.

f. Je .... chez lui une grande frustration.

Oral

1. Écoutez l'interview d'une psychologue sur l'amitié.
N° 44 Répondez aux questions en cochant la bonne réponse.

a. L'amitié, c'est :
❏ **1.** deux personnes qui se découvrent.
❏ **2.** deux personnes qui ne se connaissent pas.
❏ **3.** deux personnes qui se sont choisies.

b. L'amitié, ça sert...
❏ **1.** Ça augmente l'estime de soi.
❏ **2.** Ça procure du bonheur.
❏ **3.** C'est utile.

c. L'amitié c'est important parce que...
❏ **1.** tes amis ont les mêmes opinions que toi.
❏ **2.** tes amis respectent tes opinions et tes préoccupations.
❏ **3.** tu fais la connaissance de plein d'amis.

d. Des conseils pour se faire des amis et les garder :
❏ **1.** être d'abord son propre ami.
❏ **2.** faire les premiers pas.
❏ **3.** s'impliquer dans des activités.

COMPRÉHENSION DE L'ORAL

Écoutez l'émission de radio « Papa, Maman, "l'auberge espagnole" et moi ».
Répondez aux questions en cochant (X) la bonne réponse.

N° 45

1. Un million d'enfants sont nés en Europe de couples formés à l'occasion des échanges Erasmus.

❑ vrai ❑ faux ❑ on ne sait pas

2. Flavio, 22 ans, est le fils de Pierre de Toulouse et de Benedetta de Pavie.

❑ vrai ❑ faux ❑ on ne sait pas

3. Selon une enquête de la Commission européenne, un étudiant sur trois aurait rencontré son partenaire actuel lors de son séjour.

❑ vrai ❑ faux ❑ on ne sait pas

4. Flavio, qui étudie à l'Université de Marne-la-Vallée, est à son tour étudiant Erasmus en sociologie à Munich.

❑ vrai ❑ faux ❑ on ne sait pas

5. Flavio a rencontré sa fiancée en Norvège.

❑ vrai ❑ faux ❑ on ne sait pas

6. L'amitié franco-allemande fournit 1 300 couples binationaux chaque année.

❑ vrai ❑ faux ❑ on ne sait pas

COMPRÉHENSION DES ÉCRITS

Lisez puis analysez le document en répondant aux questions.

Le web surfe sur la vie de quartiers

L'échange de services entre voisins, c'est ce que propose Mon p'ti voisinage, réseau social de proximité qui essaime dans toute la France. 30 000 inscrits en décembre 2015, 80 000 en avril 2016.

« Pourquoi acheter un appareil à raclette ou un taille-haie dont on ne se servira qu'une fois par an ? » Mathieu, 41 ans, fait partie de ces Français séduits par l'économie du partage. Plutôt que d'encombrer ses placards, cet habitant de Saint-Malo préfère emprunter les objets qui lui manquent, sans être indispensables. En cette mi-avril, il se procurerait bien un surf pour s'initier à la glisse. Et il n'a pas à prospecter longtemps. Sur Mon p'ti voisinage, réseau social auquel il s'est inscrit en novembre 2015, il repère qu'un habitant de son quartier, Yvon, accepte de lui en prêter un pour quatre semaines, en échange d'un coup de main pour installer un antivirus sur son ordinateur. Quelques clics plus tard, le marché est conclu. Profitant de sa pause-déjeuner, Yvon passe chez Mathieu, féru d'informatique, déposer la planche et glaner quelques conseils. « Comme je ne suis pas de la génération qui a grandi entourée d'écrans, c'est pratique de pouvoir compter sur un expert », témoigne-t-il. Membre du réseau depuis un mois, il apprécie d'étoffer son carnet d'adresses. « Souvent on ne connaît que nos voisins les plus proches, qu'on se contente de saluer. De là à se prêter des affaires, il y a quand même un pas à franchir. » En listant les attentes et les compétences de chacun, le site permet de briser la glace.

Depuis sa création en 2014, Mon p'ti voisinage aurait permis 25 400 partages d'objets et de services. Ici l'approche est pratique et solidaire. Des objets trouvés aux propositions d'achats groupés, en passant par du covoiturage, le site agrège une trentaine de services. « Pour prêter ou louer une voiture, il existe une multitude de sites spécialisés. Mais il faut prendre le temps de comparer les offres. Sur Mon p'tit voisinage, on visualise aussitôt les contacts intéressés », explique David Rouxel, l'initiateur du réseau. Ce Breton passé par la Silicon Valley et le Japon croit au local, bénéfique pour « le lien social, le porte-monnaie et la planète. » Mais pour qu'une dynamique s'enclenche, il faut faciliter les partages et la confiance. […]

Aurélie Djavadi, *Le Magazine Le Parisien*, 27 mai 2016.

1. **Quel est l'objectif du réseau Mon p'ti voisinage ?**

....

2. **À quoi se mesure son succès ?**

....

3. **Qu'est-ce que le réseau change dans les rapports entre voisins ?**

....

4. **Quel est par exemple le type d'échange qui met en contact Mathieu et Yvon ?**

....

5. **Qui est David Rouxel ?**

....

6. **Pourquoi David Rouxel croit-il à l'économie du partage ?**

....

PRODUCTION ORALE

1. Entretien dirigé
Parlez de vos souvenirs d'apprentissage des langues.

2. Exercice en interaction
Demandez des conseils à un ami français à propos de votre intention d'aller vous installer en France.

3. Expression d'un point de vue
Faut-il tout se dire ? Relisez l'extrait de la pièce de théâtre (Livre de l'élève, p. 66).
Hypocrisie ou vérité : donnez à votre tour votre point de vue sur cette question.

PRODUCTION ÉCRITE

À la manière de Diane Ducret (Livre de l'élève, p. 71), vous écrivez un article sur la découverte des habitants d'un pays que vous venez de découvrir. (160-180 mots)

....

....

....

....

....

....

....

....

....

....

....

....

....

....

Vocabulaire

1. Apprenez le vocabulaire.

Agression (n. f.) ....

Troupeau (n. m.) ....

Démonstration (n. f.) ....

Avertissement (n. m.) ....

Cheptel (n. m.) ....

Brebis (n. f.) ....

Impasse (n. f.) ....

Indemnité (n. f.) ....

Pesticide (n. m.) ....

Engrais (n. m.) ....

Aménagement (n. m.) ....

Fécondation (n. f.) ....

Parasite (n. m.) ....

Abattre (v.) ....

Mobiliser (v.) ....

Opposer à (s') (v.) ....

Réduire (v.) ....

Agrandir (v.) ....

Polliniser (v.) ....

Emblématique (adj.) ....

Nuisible (adj.) ....

2. Vérifiez la compréhension de l'article « Pour ou contre le loup » (Livre de l'élève, p. 78). Retrouvez les informations suivantes.

a. À quoi correspondent ces données ?

1. 24 → 36 : ....

2. 36 : ....

3. 25 : ....

4. 2,5 : ....

b. Associez leurs actions aux noms de ces personnalités.

1. Paul Watson : ....

2. Allain Bougrain-Dubourg : ....

3. Jean-Louis Fleury : ....

c. Quelles actions sont associées à ces verbes ?

1. dénoncer : ....

2. expliquer : ....

3. rappeler : ....

3. Formez des expressions avec les verbes de la liste.

mobiliser ; résoudre ; débattre ; s'opposer à ; défendre ; dénoncer

a. .... d'un problème

b. .... une cause

c. .... l'opinion publique

d. .... un mauvais traitement

e. .... une décision

f. .... un conflit

4. Du verbe au substantif. Complétez.

a. Défendre → .... des baleines

b. Chasser → .... aux animaux nuisibles

c. Aménager → .... de zones protégées

d. Réintroduire → .... d'espèces en voie de disparition

e. Exploiter → .... des ressources naturelles

f. Protéger → .... des animaux domestiques

5. EXPRIMER LA CAUSE. **Complétez avec un verbe de la liste.**

être causé par ; être dû à ; être à l'origine de ; venir de ; provoquer

a. Les pesticides .... la disparition de certaines espèces utiles.

b. L'attaque des troupeaux .... la réaction des éleveurs.

c. La mobilisation des associations de défense des espèces en voie de disparition ....
les décisions du Ministère.

d. La faible résistance des sols à l'effet des pluies .... la suppression des clôtures.

e. L'indemnisation des agriculteurs .... leur engagement dans la protection des paysages.

Grammaire

1. Formulez les causes en utilisant les verbes de l'exercice précédent.

a. respiration rendue difficile dans les grandes villes / cause : mauvaise qualité de l'air
→ ....

b. augmentation de la température / cause : effet de serre
→ ....

c. mauvaise qualité de l'eau / cause : les pesticides
→ ....

d. pollution par les déchets / cause : négligence des habitants
→ ....

e. pollution sonore / cause : circulation des voitures et des motos dans les villes
→ ....

2. Complétez en utilisant *car, comme, grâce à, parce que, puisque*.

Lui : Vous partez ?

Elle : Oui, je dois passer quartier de l'Opéra, chez un client .... j'ai un dossier à lui rendre.

Lui : .... vous allez dans le quartier, vous pouvez passer chez notre avocat.

Elle : Pourquoi ?

Lui : .... le cabinet m'a appelé, l'étude est prête. .... vous serez à côté, j'ai pensé que vous
pourriez le prendre, si ça ne vous dérange pas, évidemment.

Elle : Comme ça, ... moi, vous l'aurez plus vite !

Lui : Exactement !

3. CONNAÎTRE LES BONNES RAISONS. **Complétez les questions. Utilisez les expressions de la liste pour varier les formes.**

pourquoi ; la cause de… ; être dû à ; s'expliquer par ; résulter de

a. – .... ses résultats sportifs ?
– À son talent.

b. – .... ses victoires ?
– Par son entraînement.

c. – .... est-il si dur avec lui-même ?
– Parce qu'il est obsédé par la victoire.

d. – .... de l'attachement de ses partenaires ?
– Son envie de réussir avec eux.

e. – .... ses nouveaux succès ?
– De son attachement à l'effort collectif de son équipe.

Oral

1. Réécoutez l'audio de l'exercice 3 (Livre de l'élève, p. 79). Vérifiez votre compréhension.
N° 46 **Retrouvez :**

a. le phénomène dont il est question dans l'interview :

....

b. l'explication du phénomène :

....

c. les causes du phénomène :

1. première cause : ....

2. deuxième cause : ....

3. troisième cause : ....

d. les solutions : ....

2. Écoutez. Distinguez [s] et [z]. Cochez.
N° 47 *Désastre*

	[s]	**[z]**
a. Nature empoisonnée		
b. Effet de serre		
c. Couche d'ozone percée		
d. Hommes insouciants		
e. Monde usé		
f. Passé sans avenir		

3. Répondez. Utilisez, comme dans l'exemple, les pronoms compléments directs devant le verbe.
N° 48 *Des gestes pour la nature*

a. – Ils organisent des journées vertes ?
– Ils en organisent.

b. – Ils nettoient les forêts et les plages ?

– ....

c. – Il a une voiture électrique ?

– ....

d. – Elle privilégie le covoiturage ?

– ....

e. – Ils s'opposent à l'utilisation des sacs en plastique ?

– ....

f. – Elle achète des produits locaux ?

– ....

4. Écoutez le micro-trottoir « Votre geste pour la planète ». Classez les informations.
N° 49

	Domaines d'économie	**Initiatives**	**Gains estimés**
David			
Noémie			
Pierre			
Lilou			

Vocabulaire

1. Apprenez le vocabulaire.

Bénévolat (n. m.)	Investissement (n. m.) ....
Engagement (n. m.)	Impliquer (s') (v.) ....
Adhésion (n. f.)	Adhérer (v.) ....
Convivialité (n. f.)	Subir (v.) ....
Estime (n. f.)	Désintéressé (adj.) ....
Accès (n. m.)	Lucratif (adj.) ....

2. Relisez le document « Les Restos du cœur » (Livre de l'élève, p. 80). Notez tous les mots qui ont un sens en lien avec le mot « association ».

....

....

....

3. Complétez avec les mots associés au mot « association » de l'exercice précédent.

a. Je travaille gratuitement et sans obligation dans mon association, je suis ....

b. Il s'est inscrit pour soutenir mon association ; il a rempli son bulletin d' ....

c. Ce chanteur est très impliqué dans la lutte contre l'illettrisme ; j'admire son ....

d. Après la catastrophe, beaucoup de gens ont manifesté leur .... en envoyant des dons.

e. Cette famille est très unie ; il existe une grande .... entre tous les membres de la famille.

f. Il y a beaucoup de travail en ce moment, l'association a besoin d' ....

4. Trouvez les contraires des adjectifs suivants.

a. intéressé ≠ ....

b. généreux ≠ ....

c. solidaire ≠ ....

d. lucratif ≠ ....

e. collaboratif ≠ ....

f. volontaire ≠ ....

5. Trouvez les synonymes des verbes suivants.

a. s'engager = ...

b. assister = ...

c. adhérer = ...

d. collaborer = ...

e. secourir = ...

f. aider = ...

6. Complétez avec les verbes de l'exercice 5.

a. J' .... complètement à son programme et à ses idées.

b. Il .... à cette revue depuis longtemps ; il écrit de nombreux articles.

c. C'est sa collaboratrice la plus proche ; elle .... son directeur en permanence.

d. Il est révolté par ce qui se passe ; il a décidé de .... complètement pour cette cause.

e. Cette vieille dame a beaucoup de difficultés à marcher ; je vais l' .... quand elle va faire des courses.

f. Il y a beaucoup de victimes ; notre association a décidé spontanément d'aller .... les blessés.

Grammaire

1. Voici la présentation de quelques associations caritatives. Repérez l'expression du but dans chacune d'elles.

> **a. ACTED (Agence d'aide à la coopération technique et au développement) :** la vocation d'ACTED est de soutenir les populations vulnérables de par le monde et de les accompagner dans la construction d'un futur meilleur. Les programmes mis en œuvre par ACTED (près de 260 par an), en Afrique, Asie, Moyen Orient et Amérique Latine/Caraïbes, ont pour finalité de répondre aux besoins des populations touchées par les guerres, les catastrophes naturelles et/ou les crises économiques et sociales.
>
> **b. Afrique Pleine d'Avenir (APA) :** le but est d'accompagner les enfants dans leur parcours de vie en favorisant leur accès à l'instruction au Togo, Bénin, Burkina Faso. L'association développe en partenariat avec des écoles locales une relation de confiance pour atteindre l'objectif d'un taux de scolarisation proche de 100 %.
>
> **c. AYO :** son action est destinée aux enfants d'Arménie, dont elle souhaite améliorer les conditions de vie, d'éducation, et les perspectives d'avenir.
>
> **d. Concordia :** association née en 1950 d'une volonté de jeunes anglais, allemands et français de faire renaître les valeurs de tolérance, de paix à travers un chantier international de bénévoles.

a. ....

b. ....

c. ....

d. ....

2. Complétez avec une préposition ou une conjonction de la liste suivante.

pour que ; afin que ; de sorte que ; pour ; afin (de)

a. Ces jeunes luttent .... faire renaître les valeurs de tolérance à travers un chantier international de bénévoles.

b. .... favoriser l'accès à l'instruction, l'association développe un partenariat de confiance avec les écoles locales.

c. .... les populations vulnérables puissent se construire un futur meilleur, les programmes de l'association visent à répondre aux besoins des associations.

d. L'accent de l'association est mis sur l'école .... puisse être atteint le pourcentage de 100 % de scolarisation.

e. .... l'action de l'association réussisse, il faut qu'elle développe de nombreux partenariats.

3. LES EMPLOIS DU PRONOM *EN*

Le pronom *en* remplace...	
• ... un nom précédé d'un article partitif ou d'un mot de quantité (*un peu de..., beaucoup de..., quelque*, etc.)	– Vous mangez de la viande ? – Oui, j'en mange. – Tu as beaucoup d'amis allemands ? – Oui, j'en ai beaucoup.
• ... un nom précédé d'un article indéfini À la forme affirmative, *un, une* sont répétés quand le sens le demande.	– Tu as un frère ? – Oui, j'en ai un. – Tu as une sœur ? – Non, je n'en ai pas. – Tu as une voiture ? – Oui, j'en ai deux.
• ... un nom de chose complément d'objet indirect introduit par la préposition *de*	– Tu as besoin d'aide ? – Oui, j'en ai besoin.
• ... un complément de nom	– Tu as vu les films de Klapisch ? – Oui, j'en ai vu deux.
• ... un complément de lieu indiquant la provenance	– Tu viens de Marseille ? – Oui, j'en viens.

a. Complétez les réponses en utilisant le pronom *en*.
Un journaliste pose des questions à un membre d'une association pour les immigrés

1. – Il y a beaucoup d'immigrés dans votre quartier ?

– Oui, ...

2. – Ils viennent d'Afrique ?

– Oui, ...

3. – La mairie s'occupe de leur intégration ?

– Oui, ...

4. – Il existe une école de langues pour ces immigrés ?

– Oui, ...

5. – Vous avez assez de professeurs de français ?

– Non, ...

6. – Vous avez reçu une aide de l'État ?

– Non, ...

b. Faites correspondre chaque réponse du *a.* à un emploi du tableau.

1. Phrase 1 → ....

2. Phrase 2 → ....

3. Phrase 3 → ....

4. Phrase 4 → ....

5. Phrase 5 → ....

6. Phrase 6 → ....

c. Emplois particuliers de *en*. Trouvez dans l'encadré ce qu'ils disent dans les situations suivantes.

1. Elle en a assez. → ....

2. Elle lui en veut. → ....

3. Elle n'en peut plus. → ....

4. Elle s'en va. → ....

5. Il s'en fiche. → ....

6. Il ne s'en fait pas. → ....

> **a.** « Je pars. »
> **b.** « Je ne supporte plus cette situation ! »
> **c.** « Ça m'est égal ! »
> **d.** « Je ne m'inquiète pas. »
> **e.** « Je n'ai plus la patience ! »
> **f.** « J'ai beaucoup de reproches à lui faire. »

Oral

N° 50

1. Écoutez l'interview. Répondez aux questions.

a. Complétez la carte d'identité de l'évènement.

> **1.** Titre de la manifestation : ....
> **2.** Lieu : ....
> **3.** Nombre d'associations concernées : ....
> **4.** Nombre de membres des associations : ....
> **5.** Objectifs : ....

b. Relevez le nom des associations citées. Classez-les.

1. Associations sportives : ....

2. Associations culturelles : ....

3. Associations à caractère médical : ....

4. Associations à caractère social : ....

c. Quels sont, pour la mairie, les objectifs de ce Forum ? ....

....

Vocabulaire

1. Apprenez le vocabulaire.

Installation (n. f.) ....

Obtention (n. f.) ....

Exploitation (n. f.) ....

Maintenance (n. f.) ....

Répercussion (n. f.) ....

Érosion (n. f.) ....

Déplacement (n. m.) ....

Garantie (n. f.) ....

Ampoule (n. f.) ....

Consommateur (n. m.) ....

Démanteler (v.) ....

Rejeter (v.) ....

Causer (v.) ....

Entraîner (v.) ....

Persuader (v.) ....

Protester (v.) ....

Éolien (adj.) ....

Initial (adj.) ....

Extensible (adj.) ....

Immoral (adj.) ....

Attractif (adj.) ....

2. Vérifiez la compréhension du document (Livre de l'élève, p. 82).

a. Retrouvez les informations suivantes.

1. De quoi s'agit-il ? ....

2. Où ? ....

3. Quand ? ....

4. Qui est l'opérateur ? ....

5. Comment l'opération va-t-elle se dérouler ? ....

b. Retrouvez les dates.

1. Projet d'implantation : ....

2. Création de l'association d'opposition : ....

3. Décision de réalisation : ....

4. Organisation d'un débat public : ....

c. Distinguez les arguments pour ou contre le projet. Complétez le tableau.

Pour	Contre
....	....
....	....
....	....

3. Voici les substantifs. Trouvez les verbes, puis complétez les expressions de l'encadré.

a. L'obtention → ....

b. L'exploitation → ....

c. Le rejet → ....

d. La répercussion → ....

e. La garantie → ....

f. L'autorisation → ....

1. .... des données fournies par le prestataire.

2. .... une information à son directeur.

3. .... un permis de construire.

4. .... l'utilisation des brevets du centre de recherches.

5. .... la bonne fin des travaux.

6. .... les solutions proposées.

4. Qu'est-ce qu'on fait quand on dit... ?

protester ; s'opposer ; rejeter ; obtenir ; persuader ; proposer

a. « Si vous vous trompez de choix, vous le ferez sans moi ! »
→ ....

b. « Croyez-moi, c'est le projet qu'il faut soutenir ! »
→ ....

c. « Je suggère que nous essayions cette solution. »
→ ....

d. « Non, non, absolument non, ce n'est pas ce qu'il faut faire ! »
→ ....

e. « Enfin, vous m'écoutez... je vais finir par avoir gain de cause ! » → ....

f. « C'est nul. Il faut tout recommencer à zéro ! »
→ ....

5. Associez leur synonyme aux adjectifs suivants.

visible ; positif ; désastreux ; attractif ; immoral ; idéal

a. un résultat catastrophique = ...

b. un être profondément corrompu = ...

c. un esprit constructif = ...

d. un choix parfait = ...

e. une personnalité attachante = ...

f. une erreur manifeste = ...

Grammaire

1. Complétez avec un verbe exprimant une relation de conséquence.

provoquer ; causer ; entraîner ; créer ; produire ; permettre

Pollution automobile

a. La pollution par les automobiles ....
une augmentation du taux des particules fines dans l'atmosphère.

b. Cette augmentation ....
une restriction de la circulation dans les mégalopoles.

c. Cette restriction de la circulation ....
la colère des automobilistes.

d. Mais cette restriction ....
la mise en place de moyens de transports alternatifs.

e. La mise en place de moyens alternatifs ....
de nouvelles habitudes dans les déplacements.

f. Ces nouvelles habitudes ....
la mise en place de nouveaux aménagements de l'espace urbain.

2. Voici des notes sur les conséquences de la mobilité. Complétez en utilisant les expressions suivantes.

de sorte que ; avoir pour conséquence ; donc ; c'est pourquoi ; d'où

Mobilité

a. La mobilité de plus en plus grande dans nos sociétés
.... un éloignement des gens de leur lieu de travail.

b. .... certains choisissent volontairement d'habiter dans une autre ville que celle où ils travaillent.

c. .... l'éloignement ne soit plus une contrainte mais soit compensé par de meilleures conditions de vie.

d. .... des millions de Français qui parcourent plus de 20 kilomètres par jour.

e. Un mode de vie qu'ils suivent ....
par choix.

Oral

1. Réécoutez la séquence radio (Livre de l'élève, p. 83). Vérifiez la compréhension de cette séquence. Dites si ces affirmations sont vraies ou fausses.

N° 51

	VRAI	FAUX
a. L'obsolescence programmée, c'est faire en sorte qu'un appareil acheté ne dure pas plus de trois ou quatre ans et dépasse juste la période de garantie.	☐	☐
b. Ce changement s'explique par la concurrence.	☐	☐
c. L'innovation n'est pas un facteur de persuasion suffisant pour persuader l'acheteur de changer plus souvent de produits.	☐	☐
d. Le consommateur proteste mais il continue à acheter.	☐	☐
e. La culture du jetable est devenue un mode de vie. Nous aimons ça.	☐	☐

2. Répondez pour confirmer. Comme dans l'exemple, utilisez dans votre réponse les pronoms indirects devant le verbe.

N° 52

a. – Tu as fait relire le compte-rendu de la réunion au chef de projet ? Oui ?
– Oui, je lui ai fait relire le compte-rendu.

b. – Tu as envoyé le mémorandum au client ? Oui ?
– ....

c. – Tu as donné le dossier à nos techniciens ? Non ?
– ....

d. – Tu as dit au client quand on viendrait ? Non ?
– ....

e. – Tu as écrit aux assurances ? Oui ?
– ....

f. – Tu as téléphoné à nos avocats ? Non ?
– ....

Écrit et civilisation

1. Lisez l'article et répondez aux questions.

LA FOLIE EMOJIS

Les petits pictogrammes font partie de notre quotidien numérique. Les marques tentent désormais de les utiliser à leur profit.

Qui n'a pas déjà utilisé l'émoji (smiley) jaune qui pleure de rire, le gros cœur rouge ou la tête de chaton ? Au fil des textos ou des messages sur les réseaux sociaux, ces pictogrammes nés au Japon à la fin des années 1990 (« e » pour image et « moji » pour lettre) nous font de l'œil, toujours plus mignons, toujours plus ludiques. […]

On compte aujourd'hui près de 1 800 émojis différents. En 2016, selon un rapport de la société Emoji Technologies, 2,3 milliards de messages contenant au moins un de ces petits dessins ont été envoyés dans le monde.

Pour Rachel Panckhurst (Université de Montpellier III) qui travaille sur l'usage des émojis dans les SMS, ils séduisent par « *leur dimension ludique et affective* […]. *Avec des regards, des gestes, des intonations faciales, les émojis injectent de l'émotion dans le discours numérique déshumanisé* » […]

Derrière la légèreté rafraîchissante et régressive, un business considérable est en marche. Les stars l'ont bien compris : à chacun son clavier d'émojis personnalisés et marketés. Les « Kimojis » de Kim Kardashian ont marqué un tournant : téléchargée jusqu'à 9 000 fois par seconde le jour de son lancement en décembre 2015, l'application […] aurait permis à la bimbo d'empocher des millions de dollars ! […]

L'industrie n'a pas tardé à se positionner. L'utilisation des émojis dans les campagnes publicitaires aurait fait un bond de 777 % depuis 2015. […]

L'arrivée des émojis de réaction sur Facebook ouvre une voie royale aux annonceurs. « Une révolution » selon Christophe Asselin, responsable marketing chez Digimind, qui aide de grandes entreprises comme Sony ou Nestlé à « écouter » les réseaux sociaux pour ajuster leurs campagnes. […] « *Avec les émojis, nos clients surveillent comment on parle d'eux et de leurs concurrents.* » […] On est désormais bien loin de l'utilisation bon enfant, ludique ou romantique des innocents émojis.

Jeanne Samak, *Le JDD*, 12 mars 2017.

a. Retrouvez la définition d'un émoji.

....

....

b. À quoi correspondent ces chiffres ?

1. 1 800 : ....

2. 2,3 : ....

3. 777 : ....

c. Lisez les deux citations en italiques. Quelles sont aujourd'hui les fonctions des émojis ?

....

....

d. Quelles sont les conséquences du détournement des émojis par l'industrie et le business ?

....

....

....

Unité 5 - Leçon 4 - Être pour ou contre l'art contemporain

Vocabulaire

1. Apprenez le vocabulaire.

Dynamisme (n. m.) ....

Décalage (n. m.) ....

Support (n. m.) ....

Phénomène (n. m.) ....

Dimension (n. f.) ....

Laideur (n. f.) ....

Poteau (n. m.) ....

Brique (n. f.) ....

Chaussée (n. f.) ....

Égout (n. m.) ....

Pionnier (n. m.) ....

Trou (n. m.) ....

Tourbillon (n. m.) ....

Cyclone (n. m.) ....

Véhiculer (v.) ....

Révéler (v.) ....

Être censé être (loc. verbale) ....

Avoir accès à (loc. verbale) ....

Esthétique (adj.) ....

Plastique (adj.) ....

Intrigant (adj.) ....

Spontané (adj.) ....

Choquant (adj.) ....

Clos (adj.) ....

Scandaleux (adj.) ....

Laid (adj.) ....

Populaire (adj.) ....

Naïf (adj.) ....

2. Regardez le reportage vidéo « Artiste : saisir son époque » (Livre de l'élève, p. 84). Dites si ces affirmations sont vraies ou fausses.

	VRAI	FAUX
a. Le peintre s'intéresse aux portraits.	☐	☐
b. La visiteuse aime bien ses peintures.	☐	☐
c. Ce qu'elle aime dans son œuvre, c'est son originalité.	☐	☐
d. La visiteuse est pour l'art contemporain dans les rues.	☐	☐
e. Le visiteur pense qu'il n'est pas nécessaire que le public soit confronté avec les œuvres.	☐	☐
f. Le visiteur pense que ce qui a choqué autrefois ne choque plus aujourd'hui.	☐	☐
g. L'artiste veut saisir le mouvement du monde, aujourd'hui.	☐	☐

3. Caractérisez avec les adjectifs de la liste.

intrigant ; puissant ; impressionnant ; choquant ; scandaleux ; poétique

a. Ce paysage me fait penser au *Lac* de Lamartine, c'est une œuvre très ....

b. On s'interroge sur ce que l'artiste a voulu représenter ; c'est très ....

c. Le dialogue du film est .... par sa grossièreté.

d. Il se dégage une force incroyable de ce tableau : c'est très ....

e. Cet artiste est un dépravé ; il mène une vie ....

f. Le film est vraiment spectaculaire : certaines scènes sont ....

4. Trouvez le contraire.

a. un visage laid ≠ ....

b. un art populaire ≠ ....

c. un esprit naïf ≠ ....

d. une pensée originale ≠ ....

e. un paysage varié ≠ ....

f. une action riche ≠ .... en rebondissements

5. Voici l'adjectif, trouvez le substantif.

a. laid → ....

b. populaire → ....

c. naïf → ....

d. original → ....

e. varié → ....

f. riche → ....

6. Associez à chacun des substantifs de l'exercice 5 le ou les domaines auxquels ils se rapportent.

1. la pensée → ....

2. la politique → ....

3. le corps → ....

4. l'esthétique → ....

5. la psychologie → ....

6. la sociologie → ....

7. DÉBATTRE. Complétez avec les expressions de la liste.

je suis pour ; je suis contre ; je trouve que ; j'aime particulièrement ; je pense que ; je crois

a. – J'en suis persuadé, c'est ma conviction, ... c'est le bon moment pour intervenir.

b. – Et en plus, ... la manière dont vous avez résumé la situation !

c. – C'est effectivement la bonne solution, je la soutiens, je .... cette intervention.

d. – Eh bien moi, je ...., le moment est très mal choisi.

e. – Non, c'est la pire des solutions ; je .... cette intervention.

f. – Eh bien, moi, ... fermement qu'il faut intervenir.

8. ARGUMENTER. Organisez les arguments à l'aide du tableau de la page Outils (Livre de l'élève, p. 89).

a. – J'ai une voiture, ... je suis favorable à l'interdiction de la circulation dans les centres-villes.
– Pourquoi ?

b. – .... il y a des transports en commun... .... ça améliore la qualité des déplacements.

c. – Oui, mais si ça ne gêne pas beaucoup ceux qui habitent dans le centre, ... ça va poser beaucoup de problèmes à ceux qui habitent en banlieue !

d. – Et .... ça va poser beaucoup de problèmes, ... ça ne va pas empêcher les gens de prendre leurs voitures.

e. – Je ne vois qu'une solution : ...., baisser fortement le prix des transports en commun ; ...., introduire massivement des moyens de transports alternatifs ; ...., aller vers les solutions de moyens de transports partagés.

Grammaire

1. LES EMPLOIS DU PRONOM Y

Le pronom *y* remplace...	
• ... un nom de chose ou une idée, complément indirect précédé de la préposition *à*	– Elle participe à l'exposition ? – Oui, elle y participe.
• ... un lieu	– Il va dîner à la brasserie de la gare ? – Oui, il y va (Il va y dîner).

a. Remplacez les mots en gras par un pronom.

1. – Marie est chez toi ? – Oui, elle est **chez moi**.

→ ....

2. – Elle s'intéresse aux arts plastiques ? – Oui, elle s'intéresse **aux arts plastiques**.

→ ....

3. – Avant, tu n'aimais pas l'art moderne. – Aujourd'hui, je me suis habitué **à l'art moderne**.

→ ....

4. Il y a une exposition de la Nouvelle Figuration au Centre Pompidou. – Qu'est-ce qu'on peut voir **dans cette exposition** ?

→ ....

5. – On va au Centre Pompidou ? – D'accord, on va **au Centre Pompidou**.

→ ....

b. Faites correspondre chaque réponse de la partie *a.* à un emploi du tableau.

1. Phrase 1 → ....

2. Phrase 2 → ....

3. Phrase 3 → ....

4. Phrase 4 → ....

5. Phrase 5 → ....

c. EMPLOIS PARTICULIERS DE Y. Trouvez dans l'encadré ce qu'ils disent dans les situations suivantes.

1. Elle a fini. → ....

2. Elle ne s'y fait pas. → ....

3. Elle s'y connaît. → ....

4. Elle s'y prend mal. → ....

5. J'y vois plus clair. → ....

6. Nous partons ! → ....

a. « Je comprends mieux ! »
b. « Ça y est ! »
c. « Je suis maladroite. »
d. « Allons-y ! »
e. « Je ne m'habitue pas. »
f. « Je suis compétente. »

Oral

1. Écoutez ces témoignages. Répondez aux questions.

N° 53

a. Qu'est-ce que les sculptures évoquent pour chacun d'eux, chacune d'elles ?

Marie-Noëlle	Paul	Caroline	Brahim

b. Ils/elles aiment ou ils/elles n'aiment pas ?

Marie-Noëlle	Paul	Caroline	Brahim

c. Comment ils caractérisent chaque pièce ?

Marie-Noëlle	Paul	Caroline	Brahim

d. À quoi finalement ça leur fait penser ?

Marie-Noëlle	Paul	Caroline	Brahim

Vocabulaire

1. Apprenez le vocabulaire.

Pétition (n. f.)	Expert (n. m.)
Corrida (n. f.)	Chantier (n. m.)
Loyauté (n. f.)	Avancement (n. m.)
Combat (n. m.)	Rationalité (n. f.)
Biodiversité (n. f.)	Choyer (v.)
Arène (n. f.)	Préserver (v.)
Batterie (n. f.)	Contester (v.)
Abattoir (n. m.)	Menacer (v.)
Barrage (n. m.)	Stopper (v.)
Céréalier (n. m.)	Mobiliser (v.)
Manifestant (n. m.)	Illégalement (adv.)

2. Vérifiez la compréhension des trois documents (Livre de l'élève, p. 86-87).

• **Document 1**

a. À quoi sont associés ces mots de l'article ?

1. Une histoire : ....

2. Une culture : ....

3. Une source d'inspiration : ....

4. Une contribution à la biodiversité : ....

• **Document 2**

b. Quels sont les éléments du débat ?

Raisons économiques	Raisons écologiques
....	....
....	....
....	....

c. Quels sont les faits qui illustrent la gestion contradictoire du dossier ?

....

....

• **Document 3**

d. Retrouvez les éléments suivants.

1. Qui ? ....

2. Quoi ? ....

3. Quand ? ....

4. Où ? ....

5. Pourquoi ? ....

3. **Lisez la liste de vocabulaire (exercice 1). Regroupez tous les mots qui ont un rapport avec un combat.**

....

....

4. **Voici le substantif, trouvez les verbes.**

a. combat → ....
b. abattoir → ....
c. barrage → ....
d. manifestant → ....
e. avancement → ....
f. rationalité → ....

5. EMPLOIS IMAGÉS. **Complétez les expressions avec les verbes de l'exercice précédent.**

a. .... sa bonne volonté
b. .... un argument
c. .... ses cartes
d. .... ses mauvais penchants
e. .... comme un pied !
f. .... le front avec une mèche de cheveux

6. **Complétez avec les verbes de la liste.**

préserver ; contester ; menacer ; stopper ; mobiliser ; interdire

a. Il a .... de le dénoncer à la police.
b. Il lui a .... d'entrer.
c. Elle n'est pas d'accord, elle .... la décision.
d. À cause de l'interdiction de continuer, les travaux sont ....
e. Pour s'opposer au début des travaux, ils ont .... toutes les personnes qu'ils connaissaient.
f. Elle va tout faire pour .... la tranquillité du quartier.

7. **Mettez dans l'ordre les arguments de cette lettre.**

Madame, Monsieur,

a. Plusieurs raisons me conduisent à me porter candidate.

b. Il me semble donc que je suis tout particulièrement qualifiée pour participer à ce type de programme et suis prête à y participer en tant que volontaire.

c. Je vous remercie de votre réponse et j'espère bien pouvoir vous rejoindre et apporter mon enthousiasme et ma compétence à ce programme.

d. ensuite j'ai suivi un cursus en biologie des espèces végétales tropicales ;

e. J'aimerais toutefois connaître les conditions matérielles du séjour et en particulier les questions d'hébergement et de nourriture.

f. D'abord, je suis née à la Guadeloupe et je reste très attachée à mon île ;

g. À la suite de votre annonce sur le recrutement de volontaires étudiants spécialisés en biodiversité pour participer au programme de protection de la flore dans les Antilles françaises, j'ai le plaisir de porter à votre connaissance ma candidature.

h. Pourriez-vous me dire également si les frais de transport sont à ma charge ou s'ils sont pris en charge par le programme ?

i. enfin j'ai choisi la Guadeloupe comme terrain de mon projet de recherches.

Ordre : ....

COMPRÉHENSION DE L'ORAL

N° 54 **Écoutez l'interview. Répondez aux questions en cochant (X) la ou les bonnes réponses.**
Ils sont étudiants à l'ISEL, l'Institut Supérieur d'études logistiques de l'université du Havre, et ils ont décidé de mettre en place un projet humanitaire pour la scolarisation en français des petits enfants malgaches. Nom de code de l'opération : Zanako Kely.

1. Le projet Zanako Kely est...
❑ **a.** le projet d'une association.
❑ **b.** le projet de quatre étudiantes.
❑ **c.** une initiative d'une école malgache.
❑ **d.** le projet de quatre étudiantes et d'une association.

2. L'objectif de l'opération c'est...
❑ **a.** améliorer les conditions de vie des écoliers à Madagascar.
❑ **b.** améliorer l'éducation des écoliers à Madagascar.
❑ **c.** améliorer les conditions de transport des écoliers à Madagascar.
❑ **d.** améliorer l'éducation sanitaire des écoliers à Madagascar.

3. Pour réaliser leurs objectifs, elles veulent...
❑ **a.** apporter des livres et du matériel pédagogique.
❑ **b.** apporter des livres pour la bibliothèque.
❑ **c.** participer à la rénovation de la bibliothèque.
❑ **d.** organiser les olympiades de la lecture.

4. Pour réaliser ce projet...
❑ **a.** elles ont trouvé l'argent : 9 230 €.
❑ **b.** elles cherchent de l'argent.
❑ **c.** elles organisent des crêpes partys.
❑ **d.** elles vont recourir au financement participatif.

COMPRÉHENSION DES ÉCRITS

Lyon ♥ Mes Coups de cœur

La Ficelle

Ce funiculaire est l'un des deux derniers de la ville qui en a comptés jusqu'à 5. Inauguré en 1900, il relie Saint-Jean à Fourvière, la « colline qui prie », en deux minutes seulement. La Ficelle a tout d'un ascenseur pour le ciel : elle s'attaque à une pente de 30 % sur une longueur de 427 mètres. Et enjambe la rue Tramassac avant de s'engouffrer dans un tunnel final.
Station Cathédrale Saint-Jean. Acheter le « ticket des collines ».

L'Esplanade

De la Ficelle, on débarque sur l'Esplanade de Fourvière. La ville s'étale à vos pieds. Impossible de se lasser de cette vue qui, par grand beau temps, porte jusqu'à 160 kilomètres. Le « Crayon » premier gratte-ciel de Lyon, se détache sur la ligne d'horizon des Alpes. Le dôme en verre semi-cylindrique de l'opéra, signé Jean Nouvel et surnommé le « Tonneau », émerge des toits.

Le Musée des Confluences

C'est le seul musée à Lyon à proposer une nocturne, le jeudi. À la nuit tombée, l'architecture déjantée du bâtiment, signée Coop Himmelb(l)au, prend des allures encore plus fantasmagoriques. Et on ne peut s'empêcher à chaque passage de caresser la poussière d'étoiles qui est donnée à toucher ! *museedesconfluences.fr*

Le Bouchon « Daniel & Denise »

Authentique bouchon, c'est-à-dire bistrot lyonnais, où déguster des spécialités. Chez « Daniel & Denise », à Saint-Jean, on n'est jamais déçus. Tout y est : le bar en zinc, les nappes à carreaux blancs et rouges, le pot lyonnais (46 cl) sur la table, la convivialité, le gâteau de foie de volailles à l'ancienne, la quenelle de brochet... *36, rue Tramassac. 5e.*

Le Vaporetto à la lyonnaise

Lyon se prend parfois pour Venise : une navette fluviale relie la gare Saint-Paul au nouveau quartier de la Confluence. Une petite balade d'une demi-heure pleine de charme. On débarque dans le Lyon du 21e siècle où flashe le Cube Orange de Jacob+Macfarlane.
De 10 h à 21 h 30, toutes les heures.

Le Café Gadagne

Au 4e étage des musées Gadagne, c'est un endroit des plus secrets. Dans ce lieu aux jardins suspendus, on peut boire une tasse de thé ou un chocolat chaud voire bruncher le dimanche. Ce serait dommage de ne pas visiter le musée des Marionnettes du monde installé ici : il y est évidemment question de Guignol, le plus célèbre des gones, surnom des Lyonnais.
1, place du Petit Collège. 5e.

Lisez le document. Dégagez pour chacun des amis, ce qui convient et ce qui ne convient pas.

Les Coquemont ont décidé de faire une halte à Lyon. François aime bien les bistrots typiques et les musées inattendus. Kate a besoin d'avoir une vue d'ensemble de la ville et un point de vue inhabituel. Penelope est gourmande, elle aime les spécialités locales et elle aime bien se promener mais pas marcher. Quant à Kattell, elle se précipite dans les musées et les bistrots. Ils tombent sur un article...

	Ficelle		Esplanade		Musée des Confluences		Bouchon		Vaporetto		Café Gadagne	
	Convient	Ne convient pas	Convient	Ne convient pas	Convient	Ne convient pas	Convient	Ne convient pas	Convient	Ne convient pas	Convient	Ne convient pas
François												
Kate												
Penelope												
Kattell												

PRODUCTION ORALE

1. Entretien dirigé
Décrivez votre travail auprès d'une association.

2. Exercice en interaction
Vous voulez adhérer à une association. Vous vous renseignez sur les objectifs, les conditions d'adhésion, les activités, le niveau d'engagement...

3. Expression d'un point de vue
Relisez le forum sur la présence d'œuvres d'art actuelles dans un lieu historique et patrimonial (Livre de l'élève, p. 85). Donnez votre avis sur ce type d'intervention d'un artiste contemporain dans ce type de lieu.

PRODUCTION ÉCRITE

Vous découvrez dans votre ville la mise en œuvre d'un projet qui vous choque. Vous écrivez une lettre au journal local pour mobiliser les lecteurs contre ce projet. (160-180 mots)

Vocabulaire

1. Apprenez le vocabulaire.

Charcutier (n. m.)	Démonstrateur (n. m.) ....
Fondateur (n. m.)	Perceuse (n. f.) ....
Enseigne (n. f.)	Déconvenue (n. f.) ....
Menuisier (n. m.)	Profil (n. m.) ....
Femme de ménage (n. f.)	Bricolage (n. m.) ....
Apprenti (n. m.)	Bâtir (v.) ....
Infirmité (n. f.)	Bûcher (v.) ....
Fratrie (n. f.)	Décrocher (v.) ....
Boulanger (n. m.)	Prospère (adj.) ....
Livreur (n. m.)	Truculent (adj.) ....
Caviste (n. m.)	

2. Vérifiez la compréhension de l'article sur Jean-Claude Bourrelier (Livre de l'élève, p. 93). Faites son portrait.

a. Fonction actuelle : ....

b. Origines géographiques : ....

c. Origines familiales : ....

d. Parcours professionnel : ....

e. Caractéristique de son entreprise : ....

3. Associez chacun de ces métiers à sa définition.

a. Charcutier   **1.** Il fabrique du pain.

b. Menuisier   **2.** Il vend du vin.

c. Boulanger   **3.** Il fabrique et vend des plats à base de viande (principalement de porc) et des plats cuisinés.

d. Caviste   **4.** Il porte des commandes à domicile.

e. Livreur   **5.** Il présente le fonctionnement et les qualités d'un produit à un client.

f. Démonstrateur   **6.** Il travaille le bois et le transforme en meubles, portes, etc.

4. Trouvez le sens des expressions familières et figurées suivantes. Choisissez la bonne réponse.

a. Le bricolage le botte. =   ❏ **1.** Le bricolage lui plaît.   ❏ **2.** Le bricolage le fait fuir.

b. Il bûche comme un damné. =   ❏ **1.** Il n'est pas reconnu dans son travail.   ❏ **2.** Il travaille beaucoup.

c. J'ai pris en pleine poire le poids   ❏ **1.** On m'a frappé.   ❏ **2.** On m'a fait sentir violemment le poids
de mes origines. =   de mes origines.

d. Il décroche son diplôme. =   ❏ **1.** Il obtient son diplôme.   ❏ **2.** Il rate son diplôme.

e. Ils se paient sa tête. =   ❏ **1.** Ils se moquent de lui.   ❏ **2.** Ils lui réclament de l'argent.

5. Il / Elle travaille dans quel service ? Aidez-vous de l'organigramme (Livre de l'élève, p. 92).

a. Il reçoit et sélectionne les candidats. → ....

b. Elle va présenter les produits et services de l'entreprise à l'étranger. → ....

c. Elle imagine les nouveaux produits. → ....

d. Il suit la fabrication des produits. → ....

e. Il s'occupe des questions financières. → ....

f. Elle décide et fait mettre en œuvre la stratégie de l'entreprise. → ....

Grammaire

1. Complétez avec un pronom relatif.

La Boxe pour les filles

a. C'est une initiative ....
les filles ont répondu positivement.

b. Il s'agit d'un cours ....
vingt filles se sont inscrites.

c. L'association « Allez les filles », ... le projet s'est monté, invite une fois par semaine
un groupe de filles à découvrir la boxe.

d. Les filles .... s'adresse ce cours, sont d'origine très diverses.

e. Elles interviennent aussi dans le quartier .... elles habitent.

f. C'est un projet .... le quartier a beaucoup travaillé.

2. CARACTÉRISER. Reliez les deux phrases avec le pronom relatif qui convient.

a. Ce soir, je rencontre des amis. J'ai travaillé aux États-Unis avec eux.

→ ....

b. C'est un couple d'amis. J'ai travaillé pour eux sur un projet important.

→ ....

c. Nous avons terminé ensemble le projet. Nous avons travaillé deux ans sur ce projet.

→ ....

d. Ce sont vraiment de bons amis. Je me sens en confiance auprès d'eux.

→ ....

e. Ils ont aujourd'hui un nouveau job. Ils travaillent désormais à distance dans ce job.

→ ....

f. Ce soir, je leur présente ma nouvelle compagne. J'ai décidé d'habiter avec elle.

→ ....

3. Complétez avec un pronom relatif.

Au cinéma

Lui : On va voir *Sage Femme* au cinéma ce soir ? Il passe juste au cinéma .... est à côté de chez nous.

Elle : Oh ! Oui, je veux bien. Catherine Deneuve et Catherine Frot ensemble, c'est un duo .... je suis curieuse de voir !

Lui : En plus, c'est une confrontation sur un thème .... je trouve intéressant. Une histoire .... une femme passe son temps à donner la vie et du bonheur et .... est entourée de gens .... ont des difficultés avec eux-mêmes et .... ont des histoires incomplètes.

4. Trouvez le pronom relatif qui convient.

Rencontres

a. J'ai revu par hasard cet ami .... j'avais rencontré en Italie.

b. Je vais toujours au théâtre avec Alain .... j'ai fait de belles découvertes.

c. Au cours de cette soirée, l'ami de Philippe m'a fait une proposition .... je crois beaucoup.

d. Personne ne connaît le couple .... ils ont passé leurs vacances.

e. J'ai rencontré un jeune homme .... je plais beaucoup.

f. J'ai reçu un courriel d'invitation .... je n'ai pas répondu.

Oral

 1. Écoutez le reportage. Répondez aux questions : cochez les bonnes réponses.

N° 55

a. Où se trouve l'usine Gautier ?
- ❏ **1.** À Nantes.
- ❏ **2.** Dans le sud de la France.
- ❏ **3.** À Boupère, en Vendée.

b. La société a été fondée...
- ❏ **1.** il y a 30 ans.
- ❏ **2.** il y a 60 ans.
- ❏ **3.** il y a soixante-dix ans.

c. La vente à l'international représente...
- ❏ **1.** 30 % de l'activité.
- ❏ **2.** 13 % de l'activité.
- ❏ **3.** 50 % de l'activité.

d. La force de l'entreprise, c'est...
- ❏ **1.** de faire fabriquer en Chine.
- ❏ **2.** sa souplesse et sa réactivité.
- ❏ **3.** d'être délocalisée.

e. Tout est pensé pour...
- ❏ **1.** produire écologique.
- ❏ **2.** consommer le moins d'énergie possible.
- ❏ **3.** limiter la pollution de l'air.

f. L'esprit de l'entreprise est...
- ❏ **1.** un esprit très hiérarchisé.
- ❏ **2.** un esprit familial.
- ❏ **3.** un esprit start-up.

Unité 6 - Leçon 2 - Communiquer au travail

Vocabulaire

1. Apprenez le vocabulaire.

Thèse (n. f.) ....
Complexité (n. f.) ....
Contretemps (n. m.) ....
Affectation (n. f.) ....
Prime (n. f.) ....
Arrangement (n. m.) ....
Coupon (n. m.) ....
Prévoir (v.) ....

Porter tort (loc. v.) ....
Remédier (v.) ....
Envisager (v.) ....
Supprimer (v.) ....
Ramasser (v.) ....
Arranger (s') (v.) ....
Mécanique (adj.) ....

2. Vérifiez la compréhension des courriels (Livre de l'élève, p. 94). Dans quel message trouve-t-on... ?

a. un souhait de changement de poste → ....

b. l'identification d'un problème de logistique → ....

c. une suggestion de stratégie commerciale → ....

d. une demande de report de rendez-vous → ....

3. Complétez avec les verbes de la liste.

remédier ; prévoir ; intégrer ; traduire ; s'assurer ; supprimer

a. .... l'idée que l'on ne travaillera jamais plus comme avant.

b. .... aux défauts de l'organisation.

c. .... les échelons hiérarchiques inutiles.

d. .... que la logistique fait bien son travail.

e. .... des adaptations aux nouveaux marchés.

f. .... dans le service rendu, les nouvelles attentes des clients.

4. Donnez le substantif de chacun de ces verbes. Puis, associez-les à un domaine particulier d'emploi.

a. remédier → ....
b. prévoir → ....
c. intégrer → ....
d. traduire → ....
e. assurer → ....
f. supprimer → ....

1. économie
2. psychologie
3. enseignement
4. politique
5. fait divers
6. justice

5. Caractériser. Complétez avec les adjectifs de la liste.

compétent ; différent ; sérieux ; intéressé ; dynamique ; autonome
Portraits

a. Il en fait toujours plus que ce qu'on lui demande ; il est ....

b. Elle a une bonne connaissance technique de ses dossiers ; elle est ....

c. Elle remet toujours à l'heure ce qu'on lui demande ; elle est ....

d. On ne peut le comparer à aucun des autres collaborateurs ; il est ....

e. Il aime travailler seul ; il est très ....

f. Il traduit tout en « plus » à gagner ; il est ....

Grammaire

1. PARLER DES COLLÈGUES DANS L'ENTREPRISE. Reliez les phrases avec *dont*.

a. La directrice des ressources humaines est très à l'écoute du personnel. Je t'ai parlé de la directrice des ressources humaines.

→ ....

....

b. Le responsable du service commercial est toujours de mauvaise humeur. Je suis l'adjoint du responsable du service commercial.

→ ....

....

c. L'auteure du rapport sur le nouvel environnement concurrentiel est très compétente. Je t'ai remis un exemplaire du rapport.

→ ....

....

d. La secrétaire du directeur est très sérieuse. Je dépends de la secrétaire.

→ ....

....

e. Le responsable de la formation qui me connaît bien a publié la liste des personnes retenues. Je fais partie des personnes retenues.

→ ....

....

f. L'ingénieur du département Recherches et Applications a annoncé un nouveau projet. Ma collègue va être responsable de ce projet.

→ ....

....

2. Reliez les deux phrases avec *dont*.

Présentations

a. Voici mon directeur de recherches. Je t'en ai souvent parlé.

→ ....

b. Voici un collègue. Je pense beaucoup de bien de ce collègue.

→ ....

c. Voici un chercheur en biologie. Je lis les travaux de ce chercheur.

→ ....

d. Voici un technicien. Je suis les conseils de ce technicien.

→ ....

e. Voici une déléguée commerciale. J'écoute toujours les analyses de cette déléguée.

→ ....

f. Voici un banquier. J'aime bien les prévisions de ce banquier.

→ ....

Oral

1. **Réécoutez l'audio de l'exercice 5 (Livre de l'élève, p. 95). Vérifiez votre compréhension. Associez.**

N° 56

a. Quelle est la nature de l'échange ?

1. une demande de services	**a.** dialogue 1
2. une rectification d'information	**b.** dialogue 2
3. un rappel à l'ordre	**c.** dialogue 3
4. une demande d'aide	**d.** dialogue 4
5. une invitation	**e.** dialogue 5

b. Sur quoi porte l'échange ?

1. un dossier	**a.** dialogue 1
2. un déjeuner	**b.** dialogue 2
3. une réunion	**c.** dialogue 3
4. une traduction	**d.** dialogue 4
5. un congé	**e.** dialogue 5

c. Dans quel dialogue dit-on ?

1. « Débrouille-toi. »	**a.** dialogue 1
2. « Je te revaudrai ça. »	**b.** dialogue 2
3. « Ce n'est pas du travail sérieux. »	**c.** dialogue 3
4. « Ça te dit ? »	**d.** dialogue 4
5. « Ça ne doit pas poser de problème. »	**e.** dialogue 5

2. Distinguez [ɔ̃] et [ã], [t] et [d]. Cochez.

N° 57

	[ɔ̃]	[ã]	[t]	[d]
Drôle de personnage...				
inconsistant				
mondain				
libertin				
inconstant				
radin				
incompétent				
mais prudent				

3. Indiquez la relation. Combinez les deux phrases avec *dont*.

N° 58   *Relations en tout genre*

a. – C'est ma copine danseuse. Tu connais son frère.

– C'est ta copine danseuse dont je connais le frère.

b. – C'est mon ami canadien. Sa mère est professeure de français.

– ....

c. – C'est un professeur de guitare. Je suis ses cours.

– ....

d. – C'est le nouvel assistant du lycée. Tu m'en as parlé.

– ....

e. – C'est un acteur connu. J'aime bien ses films.

– ....

f. – C'est un client sympathique. J'apprécie sa fidélité.

– ....

Unité 6 - Leçon 3 - S'adapter à l'entreprise

Vocabulaire

1. Apprenez le vocabulaire.

Pragmatisme (n. m.)	Retraite (n. f.) ....
Affrontement (n. m.)	Aménagement (n. m.) ....
Confrontation (n. f.)	Facturer (v.) ....
Alternative (n. f.)	Empêcher (v.) ....
Désaccord (n. m.)	Trancher (v.) ....
Proximité (n. f.)	Oser (v.) ....
Flexibilité (n. f.)	Convertir (v.) ....
Discrimination (n. f.)	Émerger (v.) ....
Réflexe (n. m.)	Rendre compte ....
Traitement (n. m.)	(loc. v.) ....
Revenu (n. m.)	Frontal (adj.) ....
Artisan (n. m.)	Avantageux (adj.) ....

2. Vérifiez la compréhension de l'article (Livre de l'élève, p. 96). Retrouvez les exemples qui illustrent chacun de ces comportements.

a. simplicité et pragmatisme → ....

b. « politiquement correct » → ....

c. œuvrer pour un objectif commun → ....

d. proximité au travail → ....

e. flexibilité → ....

f. confiance → ....

3. Associez le sens à chacune de ces expressions.

a. « Combien tu vaux ? »

b. Employer des formules à l'emporte-pièce

c. Pratiquer le « politiquement correct »

d. Accorder la confiance sans discrimination

e. Faire émerger de nouvelles idées

1. Parler de manière violente pour l'interlocuteur

2. Interroger sur sa rémunération

3. Créer un processus créatif

4. Tenir compte de l'opinion de l'autre pour ne pas le choquer

5. ne pas avoir d'a priori sur une personne

4. Trouvez le contraire et complétez l'expression.

a. désaccord ≠ → Trouver un .... de principe.

b. différence ≠ → Toute .... avec des personnages ayant existé serait fortuite.

c. simplicité ≠ → Rendre compte de la .... de la situation.

d. proximité ≠ → Il a choisi .... de la vie politique.

e. flexibilité ≠ → Il faut regretter la .... de son caractère.

5. Qu'est-ce qu'on fait quand on dit... ?

on apprécie ; on tranche ; on ose ; on décide ; on négocie ; on argumente

a. « Il y a des moments où il faut savoir renverser la table ! » → ....

b. « C'est comme ça et pas autrement ! » → ....

c. « 5 % de remise... ce n'est pas assez... il va falloir revoir votre proposition... » → ....

d. « Premièrement, il faut présenter autrement le projet ; deuxièmement il faut revoir toute la communication ; troisièmement... » → ....

e. « Des deux solutions, c'est la seconde que je retiens et que nous allons mettre en œuvre... » → ....

f. « Bravo, c'est une réussite. » → ....

Grammaire

1. Complétez avec « ce... qui », « ce... que » ou « ce... dont ».
Désaccord...

a. Lui : Je voudrais savoir .... tu comptes faire avec ta start-up.

b. Elle : .... fait la différence avec toi, c'est que moi, au moins, j'ai un projet.

c. Lui : Ton projet, c'est justement .... je me méfie !

d. Elle : Et pourtant, ce projet, c'est .... va me permettre de gagner de l'argent.

e. Lui : .... je ne crois absolument pas.

f. Elle : Et .... je ne chercherai pas à te persuader !

2. Répondez affirmativement avec « ce qui », « ce que » ou « ce dont ».

a. – Travailler à l'international, ça te plairait ?
– C'est ce qui me plairait.

b. – Tu voudrais voyager ?

– ....

c. – Tu aurais envie de promouvoir nos produits ?

– ....

d. – Tu aimerais faire un stage, pour voir... ?

– ....

e. – Ça te conviendrait de partir en tandem avec un commercial ?

– ....

f. – Tu aurais envie d'aller en Asie pour ta première mission ?

– ....

3. Reliez et reformulez avec *c'est... ce qui, ce que, ce dont...*
Qualités et sentiments

a. La persévérance : elle permet de réussir dans la vie.

→ ....

b. Le courage : on en a toujours besoin.

→ ....

c. L'amitié : on la recherche, mais on ne la trouve pas toujours.

→ ....

d. La lâcheté des autres : j'en ai été victime.

→ ....

e. La volonté : elle ne me manque jamais.

→ ....

f. L'abandon de soi : il faut s'en méfier.

→ ....

Oral

N° 59

1. **Vérifiez la compréhension de la séquence radio :**
« Gérer les conflits interculturels en entreprise »
(Livre de l'élève, p. 97). Dites si ces affirmations
sont vraies ou fausses.

	VRAI	FAUX
a. Utiliser le même mot dans la même langue ne veut pas dire qu'on a le même langage professionnel.	❑	❑
b. On peut utiliser le même terme en français et en anglais et avoir des pratiques très différentes.	❑	❑
c. C'est quand on commence à travailler ensemble que l'on découvre les conflits de pratique.	❑	❑
d. En Grande-Bretagne comme en France, la pause déjeuner est sacrée pour les Anglais et pour les Français.	❑	❑
e. Quand on lance un projet, on fait une suggestion, les Français sont toujours d'accord.	❑	❑
f. Si l'on dit « non », c'est pour faire émerger de nouvelles idées.	❑	❑

N° 60

2. Approuvez en utilisant « ce qui… », « ce que… » ou « ce dont… » .

a. – La vie dans l'entreprise t'attire ?

– Oui, c'est ce qui m'attire.

b. – Tu aimerais faire un stage ?

– ....

c. – Tu rêves d'être graphiste dans une boîte de jeux vidéo ?

– ....

d. – Tu voudrais concevoir des personnages ?

– ....

e. – Ça te plairait d'intégrer une équipe de conception ?

– ....

f. – Tu as envie de faire tes preuves ?

– ....

Vocabulaire

1. Apprenez le vocabulaire.

Référent (n. m.)	Cloison (n. f.) ....
Procédure (n. f.)	Pinte (n. f.) ....
Délai (n. m.)	Déranger (v.) ....
Récompense (n. f.)	Motiver (se) (v.) ....
Exigence (n. f.)	Décrocher (v.) ....
Alternance (n. f.)	Méfier (se) (v.) ....
Réticence (n. f.)	Inverser (s') (v.) ....
Artisanat (n. m.)	Grimper (v.) ....
Vocation (n. f.)	Plomber (v.) ....
Filière (n. f.)	Rémunéré (adj.) ....
Allègement (n. m.)	Considéré (adj.) ....
Maçonnerie (n. f.)	Pourvu (adj.) ....
Boîte (n. f.)	Qualifié (adj.) ....

2. Vérifiez la compréhension du reportage vidéo (Livre de l'élève, p. 98). Dites si ces affirmations sont vraies ou fausses.

	VRAI	FAUX
a. La formation d'éditrice, c'est trois jours en entreprise et deux jours à l'école.	☐	☐
b. L'apprentissage permet d'étudier et d'avoir un emploi rémunéré.	☐	☐
c. Elles travaillent en autonomie avec un maître d'apprentissage.	☐	☐
d. Il est facile de concilier rythme de travail en entreprise et à l'université.	☐	☐
e. C'est un plaisir quotidien de se dire qu'on est une professionnelle.	☐	☐
f. Les relations avec les collègues sont bonnes.	☐	☐
g. La joie et la récompense c'est quand on a la version imprimée dans les mains et que le client est content.	☐	☐
h. L'apprentissage permet de mettre un premier pied dans le monde professionnel.	☐	☐

3. Associez chacun de ces mots avec son synonyme.

a. exigence	**1.** hésitation
b. réticence	**2.** engagement
c. confiance	**3.** nécessité
d. responsabilité	**4.** indépendance
e. autonomie	**5.** assurance
f. compétence	**6.** aptitude

4. Trouvez le contraire.

a. exigence ≠ ....

b. réticence ≠ ....

c. confiance ≠ ....

d. responsabilité ≠ ....

e. autonomie ≠ ....

f. compétence ≠ ....

5. Complétez avec l'adjectif associé aux mots de la liste de l'exercice 3.

a. Elle demande toujours plus. Elle est très ....

b. Elle hésite beaucoup à me donner l'autorisation ; elle est très ....

c. Elle croit en moi ; elle est .... dans mes chances de réussir.

d. Son engagement est très fort ; elle se sent .... de ce qui va arriver.

e. Elle veut tout faire toute seule ; elle est .... dans son travail.

f. Elle connaît très bien son domaine ; elle est ....

6. Complétez avec un verbe de la liste.

étudier ; travailler ; s'adapter ; aider ; se motiver ; réussir

a. Dans l'entreprise, il faut .... à l'organisation.

b. Je dois .... le dossier de la concurrence.

c. Il m'arrive de .... même le dimanche.

d. Quand on étudie à l'université et qu'on travaille dans l'entreprise, il faut beaucoup ....

e. Nos collègues de travail nous .... beaucoup : ils nous montrent comment faire et nous donnent des informations précises sur les procédures.

f. À la fin, l'important c'est que nous .... notre parcours d'apprentissage.

Écrit et civilisation

1. Lisez le texte. Répondez aux questions.

ILS MÈNENT UNE DOUBLE VIE...

On les appelle les « slashers » en référence au signe slash (/) qui permet de séparer deux métiers. Une seconde activité qu'ils ont choisie plus par passion que par raison.

Selon une étude récente réalisée pour le Salon des micro-entreprises, ils sont 4,5 millions en France à jongler avec au moins deux métiers. [...] Sur internet, il est de plus en plus facile de proposer ses talents : bricoleur, mécanicien, chauffeur, pédagogue... On peut y vendre ses créations (bijoux, tableaux...), voire ses petits plats, et faire de son hobby une seconde profession. On devient donc prof/cuisinier, dentiste/artiste, infirmière/créatrice de sacs...Des *slashers*... [...]

La preuve par Florence, 37 ans, anesthésiste/humoriste.

« J'ai toujours voulu devenir médecin, mais je rêvais aussi depuis l'enfance d'être sur scène, de faire rire... C'était au fond de moi. Si je ne m'étais pas lancée, j'aurais vraiment eu l'impression de rater quelque chose. Je venais de finir mes études de médecine et d'obtenir mon doctorat quand j'ai découvert une scène ouverte à Lille. C'est là que je suis venue très progressivement au one-woman-show. J'ai commencé à écrire mes textes et j'ai pris des cours de théâtre classique pendant quatre ans pour apprendre à poser ma voix, à être plus pro sur scène. Depuis 2013, je suis médecin à mi-temps : je travaille à l'hôpital deux jours et demi par semaine. Le reste est consacré à l'écriture, à la mise en scène, aux répétitions... et à ma vie de famille, car je viens d'avoir un troisième enfant. Mon mari, médecin lui aussi, me soutient dans mon aventure. J'habite Roubaix, mais je joue une partie de l'année à Paris. L'été dernier, je me suis produite au Festival d'Avignon... Mes deux univers sont bien séparés, même si je m'inspire parfois du médical pour mes sketchs et que beaucoup de gens de l'hôpital sont venus me voir sur scène. [...] Chacun de mes métiers correspond à une facette de ma personnalité. En résumé, j'endors les gens la semaine et je les réveille le week-end. Cette double vie me prend beaucoup de temps, mais quel bonheur !

Version Femina

a. Qu'est-ce qu'un « slasher » ?

....

b. Remplissez la carte d'identité de Florence.

Âge : ....

Métiers : ....

Études : ....

État civil : ....

c. Décrivez le parcours de one-woman-show de Florence.

....

....

....

d. À quoi correspondent ces villes ?

1. Roubaix : ....

2. Paris : ....

3. Avignon : ....

Oral

1. Écoutez le reportage. Répondez aux questions.

N° 61

a. Quelle est la formation de Florian ?

....

b. Faites la carte d'identité de l'entreprise

Nom de l'entreprise : ....

Spécialité : ....

Investissement : ....

Nombre de salariés : ....

c. Distinguez les phases de la création de l'entreprise.

....

....

d. Quel est le bilan provisoire ?

....

....

e. Quelle est la plus grande satisfaction de Florian ?

....

....

Vocabulaire

1. Apprenez le vocabulaire.

Prototype (n. m.)	Appartenance (n. f.) ....
Réfrigérateur (n. m.)	Responsabilité (n. f.) ....
Machine à café (n. f.)	Embauche (n. f.) ....
Patient (n. m.)	Lancer (se) (v.) ....
Saveur (n. f.)	Implanter (s') (v.) ....
Vitalité (n. f.)	Récupérer (v.) ....
Cohésion (n. f.)	Dérivé (adj.) ....

**2. Complétez ces expressions avec les verbes utilisés dans le document « Le succès de "eDevice" »
(Livre de l'élève, p. 100).**

a. .... son entreprise

b. .... sur le marché des objets connectés

c. .... des prototypes

d. .... en France

e. .... à un appel d'offre

f. .... son chiffre d'affaires sur les marchés étrangers

3. Associez ces verbes à d'autres domaines.

a. .... dans la chanson

b. .... son réseau

c. .... un rêve

d. .... un personnage

e. .... à un compliment

f. .... sur sa chasse gardée.

4. Identifiez les domaines auxquels font référence les expressions de l'exercice ci-dessus.

a. sentimental : ....

b. imaginaire : ....

c. artistique : ....

d. social : ....

e. personnel : ....

f. amical : ....

5. Associez chaque mot à sa définition.

a. la vitalité
b. la cohésion
c. la responsabilité
d. l'appartenance
e. la performance
f. la motivation

1. le résultat obtenu, le rendement
2. la possession
3. l'énergie, le dynamisme
4. la force d'agir
5. la solidarité entre les membres d'une équipe
6. l'aptitude à prendre seul une décision

6. Présenter un lieu. Redonnez sa cohérence à cet article : mettez en ordre les paragraphes.

Ferme urbaine : La Recyclerie en circuit fermé

1. En association avec les Toulousains de Citizen Farm, les Amis recycleurs lancent, dès la fin avril, une ferme expérimentale de 150 m², avec une installation en aquaponie mariant plantes et poissons dans un seul système en circuit fermé. Les déjections organiques des poissons utilisées et transformées dans l'eau contribuent à la croissance des plantes. Même si le projet est balbutiant, on devrait pouvoir manger au restaurant bientôt des truites en hiver et des black bass et sandres en été.

2. La serre est accessible au public lors des visites hebdomadaires les mardis et samedis après-midi (sur inscription). *www.larecyclerie.com*

3. Dans son élan éco-optimiste, l'équipe de la Recyclerie entretient une famille de dix-sept poules, deux canards et bientôt un lapin et des cochons d'Inde. Les poules se nourrissent des déchets de la cantine bio et locavore. « *Elles valorisent ainsi deux tonnes par an de déchets* » se targue Marion Bocahut, responsable du projet écoculturel, qui affirme totaliser « *6 tonnes de compost par an* », grâce aussi à l'apport des déchets triés par les clients du quartier.

4. Les abeilles sur le toit, les salades et les poules dans le jardin, en plein quartier Clignancourt, le long d'une ancienne voie ferrée de la petite ceinture, c'est le rêve de la campagne à Paris qui se réalise en taille mini.

5. Ainsi que les fruits et légumes plantés par Julien le jardinier, employé à plein temps pour cultiver salades, basilic, aromates, tomates, poivrons, concombres, aubergines, fraises, etc. Un programme alléchant s'il est mené à son terme. « *Avec la serre aquaponique, nous voulons aussi*

sensibiliser notre public à la place de la nature en ville et à l'agriculture urbaine saine et locavore, pour se diriger vers une autonomie alimentaire », poursuit Marion Bocahut.

6. À la sortie du métro Porte-de-Clignancourt, l'ancienne gare Ornano datant de 1869, est un vestige du patrimoine urbain parisien, investi depuis trois ans par la Recyclerie. En service pendant plus de soixante-dix ans, cette station de la petite ceinture abrita successivement, au cours du XXe siècle, une brasserie, une boutique-bazar et une banque, avant de trouver une seconde vie ultrabobo. L'endroit atypique, à la fois cantine, épicerie et atelier de bricolage, accueille désormais une ferme urbaine en s'appuyant sur une éthique responsable.

Sophie de Santis, *Figaroscope*, 5-11 avril 2017.

Ordre : ....

COMPRÉHENSION DE L'ORAL

N° 62 Écoutez le micro-trottoir « Ils ont tout lâché pour devenir profs ». Répondez brièvement aux questions avec les mots du document sonore.

1. Que faisait Caroline et que fait-elle maintenant ?

....

2. Qu'est-ce qu'elle trouve difficile dans le métier ?

....

3. Qu'est-ce qui a surpris Alice dans son nouveau métier de professeure de commerce dans un lycée professionnel ?

....

4. Pourquoi Michel a-t-il choisi le métier de professeur d'arts plastiques ?

....

COMPRÉHENSION DES ÉCRITS

Lisez puis analysez le document en répondant aux questions.

Des Paysans dans la ville
Encouragés par les mutations du secteur agricole, de plus en plus d'exploitants deviennent citadins.

« Vous auriez dû venir hier. » Dans le tramway de Rouen qui le mène à son cours d'escrime, Camille Fleury évoque la soirée de la veille. Une soirée improvisée qui s'est terminée bien plus tard que prévu, comme souvent avec ses colocataires, dans leur 400 m² rouennais, à deux pas de l'arrêt Boulingrin. « J'ai pas envie de bosser comme un fou, j'ai envie de vivre aussi », confesse l'agriculteur céréalier de 33 ans, derrière ses lunettes rouges. Cette vie, il n'aurait jamais pu l'avoir en restant sur la ferme familiale, située à Morgny, à 35 kilomètres de Rouen.

De retour dans son loft, Camille Fleury nous présente sa joyeuse bande. Autour de la table, une infirmière, des ingénieurs en bâtiment et dans les biotechnologies. Et un paysan donc. Pour le sociologue Roger Le Guen, ils sont de plus en plus nombreux à habiter loin de leur exploitation, notamment en raison du phénomène de « céréalisation du monde agricole ». [...] D'après ses études, le sociologue estime que 10 à 15 % des chefs d'exploitation sont concernés. Ils vivent en majorité dans de petites villes proches de leurs terres. [...] Dans la chambre de Camille Fleury, seuls quelques brins de lin séchés évoquent la ferme où il se rend chaque jour en voiture. Le trajet de quarante minutes est un choix assumé, comme celui de voyager, de faire de l'escrime et de sortir. Un mode de vie rendu possible parce qu'il travaille avec six associés dans une société civile d'exploitation agricole. Tous les sept veillent sur les champs de céréales, de lin, de betteraves, l'élevage de poissons et la production de fraises. [...]

Aux yeux de Luc Smessaert, dont le robot de traite des vaches est connecté à son téléphone portable, « c'est parfois la même chose d'être à la maison ou à la ferme, avec ces nouveaux outils. » Au-delà de cette liberté gagnée grâce aux nouvelles technologies, les motivations de ces travailleurs de la terre pour rejoindre la ville sont variées : disposer d'un meilleur réseau de télécommunications, participer à des activités socio-culturelles... « On assiste à une ouverture sociale du monde agricole, confirme la sociologue Berthille Thareau. Les agriculteurs sont davantage qu'avant en couple avec des personnes d'autres secteurs d'activités, et le choix de la résidence est désormais négocié en famille. ». [...] « Le métier a évolué. On a "cassé" l'image du paysan dans le village. Ce n'est pas une mauvaise chose, conclut Luc Smessaert, il faut qu'on sorte des stéréotypes pour être bien dans ses bottes. »

Nathalie Tissot, *Le Parisien Magazine*, 17/02/2017.

1. Quel est le métier de Camille Fleury ?

....

2. Est-ce qu'il habite sur son lieu de travail ?

....

3. Comment s'organise sa vie au quotidien ?

....

4. Camille Fleury représente-t-il un cas isolé ?

....

5. Quelles sont les motivations des travailleurs de la terre pour préférer vivre en ville ?

....

6. Quelle conclusion en tire la sociologue Berthille Thareau ?

....

7. Et pour Luc Smessaert, quel est l'avantage de ce changement ?

....

PRODUCTION ORALE

1. Entretien dirigé
Parlez de votre premier souvenir de travail.

2. Exercice en interaction
Vous arrivez dans une nouvelle entreprise. Vous rencontrez le responsable des ressources humaines. Vous lui posez des questions sur la culture de l'entreprise : flexibilité des horaires ; type de management ; liberté d'initiative...

3. Expression d'un point de vue
Relisez le portrait de Jean-Claude Bourrelier (Livre de l'élève, p. 93). Faut-il privilégier dans une progression de carrière l'expérience et la réussite dans son domaine ou le diplôme ? Donnez votre point de vue.

PRODUCTION ÉCRITE

Vous écrivez pour le journal de l'entreprise un article sur la mise en place d'un projet innovant. (160-180 mots)

....

....

....

....

....

....

....

....

....

....

....

....

....

Vocabulaire

1. Apprenez le vocabulaire.

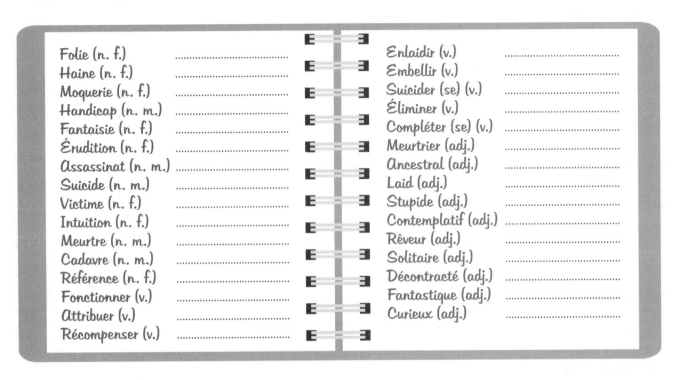

Folie (n. f.) ....

Haine (n. f.) ....

Moquerie (n. f.) ....

Handicap (n. m.) ....

Fantaisie (n. f.) ....

Érudition (n. f.) ....

Assassinat (n. m.) ....

Suicide (n. m.) ....

Victime (n. f.) ....

Intuition (n. f.) ....

Meurtre (n. m.) ....

Cadavre (n. m.) ....

Référence (n. f.) ....

Fonctionner (v.) ....

Attribuer (v.) ....

Récompenser (v.) ....

Enlaidir (v.) ....

Embellir (v.) ....

Suicider (se) (v.) ....

Éliminer (v.) ....

Compléter (se) (v.) ....

Meurtrier (adj.) ....

Ancestral (adj.) ....

Laid (adj.) ....

Stupide (adj.) ....

Contemplatif (adj.) ....

Rêveur (adj.) ....

Solitaire (adj.) ....

Décontracté (adj.) ....

Fantastique (adj.) ....

Curieux (adj.) ....

2. Vérifiez la compréhension du site internet (Livre de l'élève, p. 106). Lisez les résumés des quatre romans et caractérisez-les en cochant la bonne réponse.

a. *Petit Pays* est :

❑ **1.** une chronique à hauteur d'enfant.

❑ **2.** un roman historique sur la folie meurtrière.

b. *Riquet à la houppe* est :

❑ **1.** un récit sur les différents habitants des quartiers de Paris.

❑ **2.** une relecture d'un conte de Perrault.

c. *Temps glaciaires* est :

❑ **1.** une enquête policière.

❑ **2.** un roman historique au temps de la Révolution.

d. *Valérian et Laureline* est :

❑ **1.** une bande dessinée de science-fiction.

❑ **2.** un roman d'aventures dans l'espace au 26e siècle.

3. À partir des quatre résumés, retrouvez tous les mots (noms, verbes, adjectifs) qui ont un lien avec le mot « violence ».

....

....

....

4. Complétez ces expressions à l'aide des mots trouvés dans l'exercice 3.

a. Elle est .... de son succès.

b. Il est vert de ....

c. Il a accompli un véritable tour de ....

d. J'ai fait .... ; j'ai acheté ce sac hors de prix !

e. Cette route .... a déjà fait plusieurs victimes.

f. « Tout fout .... ! », dit le pessimiste.

5. **Caractérisez à l'aide des adjectifs de la liste.**

contemplatif ; rêveur ; solitaire ; décontracté ; curieux ; stupide

a. Il prend les choses avec beaucoup de distance ; il est très ....

b. Il donne toujours l'impression d'être étonné, surpris par ce qui lui arrive ; il a l'air ....

c. On le voit toujours se promener comme si personne n'existait autour de lui ; il est ....

d. On la décrit comme .... ; quand elle se promène, elle s'arrête et regarde longuement la nature, les paysages.

e. Elle interroge, demande des explications, fait préciser... ; elle est .... de tout.

f. Vous lui parlez de quelque chose, il décolle, s'échappe dans ses pensées, c'est un esprit ....

6. **Voici l'adjectif, trouvez le substantif. Complétez.**

a. décontracté → Il fait preuve d'... extraordinaire.

b. stupide → ...., à ce niveau-là, c'est rare !

c. solitaire → .... ; ah ! quel beau thème de chanson... Barbara, Ferré, Reggiani...

d. contemplatif → Il restait plongé dans .... de ce tableau.

e. curieux → « .... est un vilain défaut », dit le proverbe.

f. rêveur → Il se laisse souvent aller à ....

Grammaire

1. **Reliez les deux phrases avec l'expression entre parenthèses.**

a. Elle a lu. Elle est sortie. *(après)*

→ ....

b. Il s'est mis à faire beau. Elle est partie se promener. *(au moment où)*

→ ....

c. Elle a appelé. Il allait partir. *(avant que)*

→ ....

d. Elle allait au cinéma. La pluie a commencé à tomber. *(alors que)*

→ ....

e. Elle a fait du sport. Elle s'est reposée. *(après que)*

→ ....

f. Elle est plus calme. Elle joue mieux. *(au fur et à mesure que)*

→ ....

2. **Reliez les deux phrases avec une expression d'antériorité (→), de simultanéité (=), de postériorité (←).**

a. Louis va passer ses examens. (←) Il est parti une semaine à la campagne.

Avant qu'il passe ses examens, Louis est parti une semaine à la campagne.

b. Il a terminé ses examens. (→) Il est parti faire un stage à l'étranger dans une entreprise.

....

c. Il faisait son stage. (=) Il a commencé à chercher du travail.

....

d. Il cherche du travail. (←) Il s'est inscrit sur les réseaux sociaux professionnels.

.... ;

e. Il s'est inscrit sur les réseaux sociaux. (→) Il a reçu de nombreuses propositions.

....

f. Il allait répondre positivement à une offre. (=) L'entreprise où il fait son stage lui a fait une offre.

....

Oral

N° 63

1. Réécoutez l'audio de l'exercice 5 à propos du roman de Fred Vargas (Livre de l'élève, p. 107). Vérifiez votre compréhension. Dites si ces affirmations sont vraies ou fausses.

	VRAI	FAUX
a. Le commissaire Adamsberg ressemble à Hercule Poirot.	❑	❑
b. Son adjoint Danglard est une vraie encyclopédie.	❑	❑
c. Le roman commence par deux meurtres.	❑	❑
d. Les deux meurtres sont liés.	❑	❑
e. Les deux victimes ont fait partie d'une expédition de groupe en Irlande.	❑	❑
f. Au cours de cette expédition, il y a eu un meurtre.	❑	❑
g. Le meurtrier est en train d'éliminer tous ceux qui ont fait partie de cette expédition.	❑	❑

N° 64

2. Écoutez. Distinguez [k] et [g]. Cochez.

Tu préfères...	[k]	[g]
Gargantua ou Quasimodo ?		
Gaston Lagaffe ou Lucky Luke ?		
Rodrigue ou Nicomède ?		
La cigale ou le corbeau ?		
Sganarelle ou Harpagon ?		
Britannicus ou Andromaque ?		

N° 65

3. Confirmez. Reliez les deux phrases avec *avant que* ou *avant de*.

a. Élodie a confirmé le rendez-vous. Puis Rose a annulé.

→ **Élodie a confirmé le rendez-vous avant que Rose annule.**

b. Alexandre a accepté de venir au cinéma . Puis il a refusé.

→ ....

c. Cédric a ignoré Laurence. Puis, il est tombé amoureux d'elle.

→ ....

d. Le directeur a accepté le projet. Puis, le projet a été critiqué.

→ ....

e. Antoine et Juliette se sont adorés. Puis Juliette a rencontré Ronaldo.

→ ....

f. Mathieu a félicité son équipe. Puis, il a fixé les nouveaux objectifs.

→ ....

Unité 7 - Leçon 2 - Se passionner pour le passé

Vocabulaire

1. Apprenez le vocabulaire.

Héroïne (n. f.) ....

Radioactivité (n. f.) ....

Vaccin (n. m) ....

Stérilisation (n. f.) ....

Avortement (n. m) ....

Légalisation (n. f.) ....

Résistante (n. f.) ....

Modernité (n. f.) ....

Attentat (n. m) ....

Manifestant (n. m) ....

Explosion (n. f.) ....

Douter (v.) ....

Limiter à (se) (v.) ....

Concilier (v.) ....

Conquérir (v.) ....

Accuser (v.) ....

Détruire (v.) ....

Capable (adj.) ....

Démuni (adj.) ....

2. Vérifiez la compréhension du document (Livre de l'élève, p. 108). Associez faits, personnages et évènements aux verbes suivants.

a. (faire) construire : ....

b. créer : ....

c. découvrir : ....

d. concilier : ....

e. légaliser : ....

f. conquérir : ....

g. devenir : ....

3. Employez les verbes de l'exercice 2 dans un autre contexte.

a. .... un précédent.

b. .... l'inconciliable.

c. .... l'inutile.

d. .... son cœur.

e. .... une source d'ennuis.

4. Barrez l'intrus et dites quel est le sens dominant de chaque série de mots.

a. la paix – le terrorisme – l'attentat → ....

b. la défaite – la guerre – le coup d'état → ....

c. la majorité – la manifestation – l'élection → ....

d. un accord – une bataille – un traité → ....

e. une dénonciation – une manifestation – une pénurie → ....

5. PRÉSENTER UN RÉCIT. Complétez avec un verbe de la liste.

arriver ; trouver son origine ; se dérouler ; se développer ; se situer ; se terminer

a. L'action .... en 1940, pendant la Seconde Guerre mondiale.

b. L'action .... d'abord à Paris puis à Bordeaux.

c. L'histoire .... dans un accident au cours duquel on découvre un cadavre.

d. Il .... beaucoup d'aventures au jeune héros malgré lui.

e. L'histoire .... à Paris où les deux jeunes héros qui sont entrés dans la Résistance se retrouvent par hasard.

f. Le récit .... sur plusieurs plans : historique, politique et sentimental.

Grammaire

1. METTRE EN VALEUR AVEC LA CONSTRUCTION PASSIVE. Reformulez les phrases en commençant par les mots en gras.

a. La critique a beaucoup aimé **le livre de cet historien**.

→ ....

b. L'association a présenté **un spectacle historique** dans la cour du château.

→ ....

c. Le Président a célébré **la mémoire de ces figures de la Résistance**.

→ ....

d. Le professeur d'histoire a fait **le récit de l'épopée de La Fayette** à l'occasion de la reconstruction de son bateau, l'Hermione.

→ ....

e. Le présentateur de l'émission *Secrets d'histoire* a filmé **l'histoire du château de Versailles et de ses rois**.

→ ....

f. Les chercheurs ont fait **des découvertes importantes** à l'occasion de la campagne de fouilles du champ de bataille.

→ ....

2. Transformez. Mettez les phrases au passif.

Jour de fête

a. Les stagiaires ont imaginé la fête.

→ ....

b. Les secrétaires ont choisi les cadeaux.

→ ....

c. Le traiteur a apporté les gâteaux.

→ ....

d. Le directeur a offert le champagne.

→ ....

e. Le responsable marketing a filmé l'évènement et a mis les photos sur la page Facebook.

→ ....

Oral

1. Écoutez le micro-trottoir : « Quelle est votre capitale secrète de la France ? »
Classez les informations.

N° 66

a. De quelle ville parle-t-on ?

1. C'est la ville des rois de la Renaissance : ....

2. Le royaume d'Aliénor d'Aquitaine : ....

3. Elle en a encore le titre historique : ....

4. La ville du Roi-Soleil : ....

b. À quelle ville sont associés ces évènements historiques ?

1. Les guerres de religion : ....

2. La guerre de Cent Ans : ....

3. L'Empire : ....

4. La royauté et la république : ....

c. À quelle ville appartiennent ces particularités ?

1. De splendides hôtels particuliers : ....

2. La capitale du royaume de Napoléon élargi à l'Italie : ....

3. L'éclat du pouvoir absolu : ....

Écrit et civilisation

1. Lisez le texte et répondez aux questions.

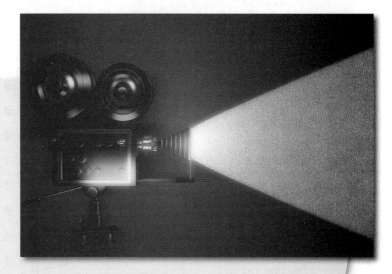

Studio 28 : le temple du cinéma

Le Studio 28, c'est une salle de 170 places et une affaire de famille qui perdure depuis le 10 février 1928. Autant cinéma de quartier que référence d'art et d'essai, ce lieu atypique donne une âme au cinéma. C'est aujourd'hui une adresse incontournable de Montmartre.

« Dans les multiplexes parisiens, on va bouffer de la pellicule, là on la déguste » explique Alain Roulleau, le propriétaire de la salle, adossé contre le bar. Depuis maintenant déjà 20 ans, le dandy veille sur ce petit bijou du quartier de Montmartre et fait perdurer la jeunesse et l'identité particulière de sa salle. Le cinéma est majestueux avec un grand hall d'entrée, un café branché et un montage de photos qui orne le mur extérieur de portraits d'acteurs et d'actrices mythiques. Avant même d'entrer dans la salle, on aime déjà le cinéma.

On pourrait presque faire un film avec l'histoire du Studio 28. En effet, c'est le plus vieux cinéma en activité aujourd'hui à Paris. Buñuel, Dali, Abel Gance… Il est la première salle de Paris classée cinéma d'art et d'essai. Dessinées par Jean Cocteau, les immenses appliques qui l'éclairent font de la salle une œuvre d'art elle-même. Unique et toujours à la pointe de la technologie, la salle est devenue un lieu culte incontournable du 7e art.

Alors que le Studio respire l'art et l'Histoire, Alain Roulleau y ajoute un brin de chaleur et d'authenticité. La salle propose 8 à 13 films par semaine d'une programmation soigneusement choisie : pour accompagner les avant-premières du mardi, les séances junior du mercredi et samedi et les films du patrimoine choisis par les clients, Alain Roulleau sélectionne des films qui lui plaisent. Des pépites de cinéma de toutes les origines et de tous les styles qu'il estime à la hauteur de ses clients. Un brin sévère mais avide de nouveaux talents, il révèle des films qui marqueront le cinéma de notre temps.

Le Bonbon, mars 2016.

a. Dans quel quartier de Paris se trouve le Studio 28 ?

....

b. Quelles sont les deux particularités historiques du Studio 28 ?

....

c. À quoi voit-on que l'on est dans un lieu d'histoire ?

....

d. Quels sont les artistes dont les noms sont associés au Studio 28 ?

....

e. Qu'est-ce qui fait de la salle une œuvre d'art ?

....

f. Quels sont les caractéristiques de la programmation ?

....

g. Quels sont les qualificatifs associés au cinéma que défend le Studio 28 ?

....

Vocabulaire

1. Apprenez le vocabulaire.

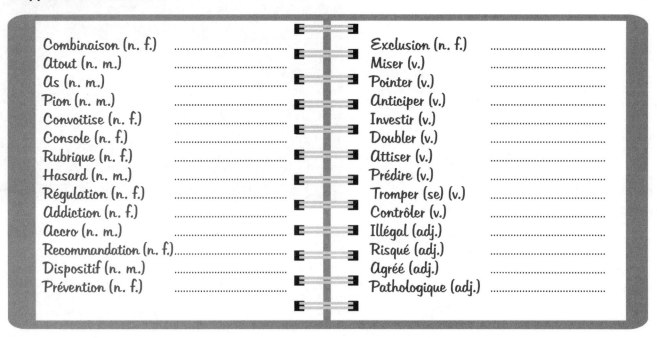

Combinaison (n. f.) ....
Atout (n. m.) ....
As (n. m.) ....
Pion (n. m.) ....
Convoitise (n. f.) ....
Console (n. f.) ....
Rubrique (n. f.) ....
Hasard (n. m.) ....
Régulation (n. f.) ....
Addiction (n. f.) ....
Accro (n. m.) ....
Recommandation (n. f.) ....
Dispositif (n. m.) ....
Prévention (n. f.) ....

Exclusion (n. f.) ....
Miser (v.) ....
Pointer (v.) ....
Anticiper (v.) ....
Investir (v.) ....
Doubler (v.) ....
Attiser (v.) ....
Prédire (v.) ....
Tromper (se) (v.) ....
Contrôler (v.) ....
Illégal (adj.) ....
Risqué (adj.) ....
Agréé (adj.) ....
Pathologique (adj.) ....

2. Vérifiez la compréhension de l'article sur l'e-sport (Livre de l'élève, p. 111). Retrouvez les informations suivantes.

a. Signification de « e-sport » :

....

b. Nombre de fans :

....

c. Points de comparaison :

....

d. Marques partenaires :

....

e. Grands médias intéressés :

....

3. Utilisez ces mots du monde du jeu dans un emploi imagé.

atout ; combinaison ; échec ; as ; tour ; pari

a. C'est un .... du volant ! Il gagne tous les rallyes.

b. Il m'a joué un sale .... Je lui revaudrai ça.

c. Pour réussir, il a mis tous les .... de son côté.

d. Quant au dénouement, les .... sont ouverts.

e. J'ai mis son plan en ....

f. Elle et moi, c'est ça la .... gagnante !

4. D'AUTRES EMPLOIS DES VERBES DU JEU. Complétez avec les verbes de la liste.

miser ; couper ; souffler ; pointer ; acheter ; tirer

a. Je lui ai .... la place.

b. J'ai .... sur le mauvais numéro.

c. J'ai .... la mauvaise carte.

d. J'ai .... court à la discussion.

e. Ils ont .... son silence.

f. Il a .... ses insuffisances.

5. Associez les expressions formées dans l'exercice précédent et leur sens.

1. Faire le mauvais choix.

2. Bien voir ce qui ne va pas chez quelqu'un.

3. Obtenir de quelqu'un qu'il ne témoigne pas.

4. Obtenir un poste qu'un autre croyait acquis.

5. Ne pas faire le choix de la bonne personne.

6. Interrompre brutalement une négociation.

6. Trouvez le synonyme de ces expressions.

a. faire une partie = ...

b. souffler un pion = ...

c. toucher le jackpot = ...

d. tout jouer sur un coup de poker = ...

e. devenir accro = ...

Oral

1. Écoutez. Vérifiez la compréhension de la séquence radio (Livre de l'élève, p. 111).
Répondez aux questions.

N° 67

a. À quoi correspondent ces chiffres ?

1. 2,5 millions : ....

2. 17 % : ....

b. À quoi sert « evaluejeu.com » ?

....

....

c. À qui sont destinées les trois actions de l'ARJEL ?

1. Recommandations : ....

2. Sensibilisation : ....

3. Prévention : ....

d. Quel est l'objectif du dispositif d'auto-exclusion ?

....

....

Écrit et civilisation

1. Lisez l'article et répondez aux questions.

Danser, c'est sa façon de jouer

Dina Morisset est accro au jeu vidéo *Just Dance.*
Son rêve, devenir championne du monde.

Pour le moment, sa vie se résume à métro, boulot, dodo et… jeu vidéo. Quatre à cinq heures d'entraînement par jour ! « *J'ai posé mes après-midi pour pouvoir préparer la compétition*, détaille Dina Morisset. *Je m'entraîne physiquement, mais je regarde aussi beaucoup de vidéos pour trouver le bon geste.* » L'objectif de cette Parisienne : remporter la coupe du monde *Just Dance*, un évènement d'e-sport parisien.

Pour participer, pas besoin de clavier ni de souris. Avec *Just Dance,* une fois la console branchée à la télé, il suffit de reproduire les chorégraphies qui défilent à l'écran. Une caméra scrute votre performance. Mieux les mouvements sont exécutés, plus vous cumulez les points. Simple et… addictif. Lancé en 2009 par le français Ubisoft, basé près de Paris, le jeu est devenu un phénomène planétaire : 60 millions d'unités, toutes éditions confondues ont été vendues et la communauté Just Dance rassemblerait aujourd'hui 118 millions de pratiquants. […] « *J'ai découvert* Just Dance *en 2009. Des petites-cousines l'avaient apporté à une fête de famille,* » se souvient Dina Morisset. […] Elle qui n'est pas grande danseuse se met à se dandiner avec ses cousines. Elle ne lâchera plus jamais *Just Dance.* Le jeu devient le rituel du samedi soir, quand les amis passent chez elle. […]
Alors, en 2014, quand Ubisoft commence à organiser des compétitions, Dina s'inscrit. « *Je n'ai pas pris ça tout de suite au sérieux*, avoue-t-elle. *Mais c'est tombé au moment où je me suis mise au sport, à la Zumba, à la musculation. Je me suis retrouvée sur scène, à danser devant des milliers de personnes.* » Elle gagne, persévère. Aujourd'hui, elle est triple championne de France, médaillée de bronze aux mondiaux de 2014, et d'argent en 2015. « *J'ai aussi perdu dix kilos* », s'étonne la jeune femme, déterminée à décrocher le seul métal qui lui manque, l'or.
De l'or symbolique, car à la différence d'autres tournois de jeux vidéo, ceux de *Just Dance* ne rapportent pas d'argent. Pour payer ses factures, Dina a une autre occupation, plus conventionnelle. Diplômée d'un master de démographie, elle travaille pour un institut qui produit des enquêtes sur la population française. « Just Dance *m'a rapporté tellement : de la confiance, des réussites* », dit Dina qui, depuis un an, fait fructifier son image de championne. Elle réalise désormais des animations à l'occasion des conventions de jeux vidéo ou des salons de manga, en France mais aussi au Brésil et en Russie. Elle a investi Facebook et YouTube, et fédéré autour d'elle toute une communauté. « *J'ai des petites fans qui me suivent lors des évènements. Elles sont trop chou. Je reçois des messages des Philippines, du Brésil où il y a une grosse communauté* Just Dance. » […]

Benjamin Jérôme, *Magazine Le Parisien*, 17/02/2017.

a. À quoi correspondent ces trois dates pour Dina Morisset ?

1. 2009 : ....

2. 2014 : ....

3. 2015 : ....

b. À propos de *Just Dance*, à quoi se rapportent ces données et ces dates ?

1. 2009 : ....

2. 2014 : ....

3. 60 : ....

4. 118 : ....

c. Lisez les témoignages (en italiques) de Dina. Qu'est-ce qu'ils nous apprennent :

1. sur sa manière de travailler ?

....

....

2. sur son rapport à *Just Dance* et sur ce que ça a changé pour elle ?

....

....

3. sur son lien avec son public ?

....

....

d. Caractérisez sa vie professionnelle.

....

Vocabulaire

1. Apprenez le vocabulaire.

Exposant (n. m.)	Tenter (v.) ....
Tricot (n. m.)	Dénicher (v.) ....
Crochet (n. m.)	Concocter (v.) ....
Aiguille (n. f.)	Dévoiler (v.) ....
Perle (n. f.)	Customiser (v.) ....
Astuce (n. f.)	Rénover (v.) ....
Inspiration (n. f.)	Concevoir (v.) ....
Sensation (n. f.)	Véhiculer (v.) ....
Univers (n. m.)	Jaillir (v.) ....

2. Vérifiez la compréhension du document « Creativa » (Livre de l'élève, p. 112).

a. À quelles zones d'atelier correspondent ces invitations ?

1. « Découvrez les trésors cachés de nos exposants spécialisés » : ....

2. « Vous permettre de customiser, rénover vos intérieurs » : ....

3. « Dénichez les trucs et les astuces auprès des exposants » : ....

4. « Rencontrez créateurs et exposants » : ....

b. Où trouver... ?

1. Creativa Cook : ....

2. La Caverne d'Ali Baba : ....

3. Le « Do It Yourself » : ....

c. Où se rendre pour ?

1. Transformer son intérieur : ....

2. Recevoir des conseils pour le tricot ou le crochet : ....

3. Trouver des astuces pour concocter des instants gourmands : ....

4. Découvrir les activités autour des perles et de la peinture : ....

3. Associez les substantifs dérivés de ces verbes.

a. coudre → ....

b. tricoter → ....

c. broder → ....

d. bricoler → ....

e. peindre → ....

f. cuisiner → ....

4. Trouvez leur emploi imagé dans les phrases suivantes et complétez.

Interrogatoire

a. Le suspect a raconté à la police une histoire .... de fil blanc.

b. Le suspect s'est fait .... par la police qui l'a longuement interrogé.

c. L'alibi du suspect ne tient pas vraiment la route ; il a l'air un peu ....

d. Pour tisser les fils de son influence, il a .... tout un réseau.

e. Avec lui, la vérité apparaît .... d'une autre couleur.

f. On ne sait pas si son histoire est vraie ou fausse ; il a tendance à beaucoup ....

5. Complétez les phrases à l'aide des verbes de la liste.

conseiller ; concocter ; dénicher ; dévoiler ; véhiculer ; réviser

a. Non, je n'en avais jamais entendu parler. Où as-tu .... cet article ?

b. C'est absolument faux ! Qui peut bien .... pareilles contre-vérités ?

c. Après tant d'années de spéculations, le secret va enfin être ....

d. Je le connaissais mal ; depuis j'ai .... mon jugement.

e. Je ne sais pas trop quoi penser de cette histoire qu'il nous a ....

f. C'est une histoire pas claire, je lui .... de ne pas s'en mêler.

Grammaire

1. Transformez en utilisant « se faire ».

Incidents

a. On est tombé en panne. <u>On m'a véhiculé jusqu'à la station-service.</u>

→ ....

b. Pendant mon sommeil, <u>on m'a volé mon portefeuille.</u>

→ ....

c. Au lycée, j'ai fait une bêtise ; <u>on m'a renvoyé.</u>

→ ....

d. Le restaurant de l'hôtel était fermé ; <u>on nous a livré une pizza.</u>

→ ....

e. Il est tombé dans l'escalier ; <u>on l'a transporté à l'hôpital.</u>

→ ....

f. L'entreprise a déposé le bilan ; <u>on nous a licenciés.</u>

→ ....

2. Transformez en utilisant « se faire », « se voir », « se laisser ».

a. Fait divers : on lui a volé tous ses bijoux.

Elle ....

b. Sport : on l'a battu sévèrement en trois sets.

Il ....

c. Cinéma : on l'a finalement convaincu de jouer ce rôle.

Elle ....

d. Gastronomie : on l'a invité sans qu'il se fasse prier.

Il ....

e. Accident : il est sorti de la route sans rien pouvoir faire.

Il ....

Oral

1. Écoutez. Distinguez [y] et [ɥi]. Cochez.

N° 68

	[y]	[ɥi]
Créatif		
Fuir les habitudes		
Détruire ses certitudes		
Bousculer autrui		
Tuer l'ennui		
S'amuser en produisant		

2. Répondez par la négative avec « *faire* + infinitif ».

N° 69   *Répartition des tâches*

a. – Tu as dessiné toi-même le logo ?

– Non, je l'ai fait dessiner.

b. – Tu as bloqué toi-même le process ?

– ....

c. – Tu as déposé toi-même le brevet ?

– ....

d. – Tu as complété toi-même le cahier des charges ?

– ....

e. – Tu as modifié toi-même le plan de travail ?

– ....

f. – Tu as lu le rapport d'expertise ?

– ....

3. Confirmez en utilisant « *se faire* + infinitif ».

N° 70   *Habitudes alimentaires*

a. – Tu manges des tartines de pain grillées ?

– Oui, je me fais griller des tartines de pain.

b. – Tu bois du lait chaud ?

– ....

c. – Tu aimes les légumes cuits ?

– ....

d. – Tu manges du poisson grillé ?

– ....

e. – Tu aimes les pommes de terre gratinées ?

– ....

Vocabulaire

1. Apprenez le vocabulaire.

Détente (n. f.) ....
Ambiance (n. f.) ....
Confidence (n. f.) ....
Humeur (n. f.) ....
Miracle (n. m.) ....
Utopie (n. f.) ....
Chalet (n. m.) ....
Bulbe (n. m.) ....
Rite (n. m.) ....
Descendant (n. m.) ....
Concevoir (v.) ....
Disposer (v.) ....

Réduire (v.) ....
Desservir (v.) ....
Piéton (adj.) ....
Tamisé (adj.) ....
Décontracté (adj.) ....
Soigné (adj.) ....
Luxueux (adj.) ....
Géométrique (adj.) ....
Harmonieux (adj.) ....
Grandiose (adj.) ....
Paisible (adj.) ....
Banal (adj.) ....

2. Vérifiez la compréhension des trois articles (Livre de l'élève, p. 114-115). Répondez aux questions suivantes.

	Premier article	Deuxième article	Troisième article
Nom du lieu			
Date de création			
Situation			
Fonction			
Caractéristiques du décor			

3. CARACTÉRISER. Trouvez les synonymes.

a. Décontracté → Il a une allure ....
b. Harmonieux → Cet ensemble est très ....
c. Grandiose → Un spectacle ....
d. Extraordinaire → Des moyens ....
e. Luxueux → Une villa ....
f. Banal → Une histoire ....

4. CARACTÉRISER. Trouvez le contraire des adjectifs de l'exercice 3.

a. Son allure semble ....
b. Cet ensemble est très ....
c. Un spectacle ....
d. Des moyens ....
e. Une villa ....
f. Une histoire ....

5. Voici les verbes, trouvez les substantifs.

a. concevoir → .... d'un objet.
b. disposer → .... du texte.
c. créer → .... d'une ambiance.
d. organiser → .... du dispositif.
e. réaliser → .... du projet.
f. construire → .... d'un édifice.

Écrit et civilisation

Paris insolite...

Bar à Méditation

Après les bars à ongles, à siestes, à sourire ou encore à chats... Paris a inauguré dans le quartier de l'Opéra, un bar à méditation. L'établissement s'adapte aux emplois du temps et propose des séances d'une demi-heure le matin, le midi et le soir. Objectif : se recentrer sur soi.

« Si je vous demande : savez-vous pourquoi vous vous brossez les dents ? La réponse vous semble évidente... Pour ne pas avoir de caries ! Eh bien, c'est la même chose avec la méditation en pleine conscience : elle doit devenir une hygiène de vie. Notre cerveau est beaucoup trop sollicité, il faut apprendre à gérer son stress... pour ne pas avoir un trou dedans ! », introduit Christine Barois, psychiatre et créatrice du Bar à Méditation. L'auteure du livre *Pas besoin d'être tibétain pour méditer* (Solar) souhaite « *diffuser à un large public ces bienfaits prouvés scientifiquement.* »

Après avoir observé des lieux similaires aux États-Unis, Christine Barois s'est entourée d'une quinzaine d'instructeurs qualifiés [...]

Son équipe délivre les clefs de la méditation en pleine conscience afin d'être plus concentré, performant, créatif, à l'écoute et tout simplement en meilleure santé.

Une fois les affaires rangées – smartphone compris – dans un casier au rez-de-chaussée, les trente minutes à venir sont entièrement dédiées au bien-être. Au sous-sol, une petite salle de méditation est en libre accès pour les solitaires. Les non-initiés se retrouvent au premier étage pour une séance guidée dans une salle épurée où une quinzaine de fauteuils sont disposés en rond – des plaids attendent les plus frileux. À peine le temps de détailler la sobre

décoration et il faut fermer les yeux. Très vite, on se laisse bercer par la voix de l'instructeur, assis sur le bord du fauteuil, le dos droit. Seul l'esprit est en mouvement : sentir les différentes parties de son corps, s'attarder sur sa respiration, observer ses perceptions et ses pensées... Les séances sont thématiques selon les besoins pour travailler au choix sur les émotions, la respiration, l'attention et même l'érotisme... En ouvrant les yeux, le corps tout entier semble endormi mais l'esprit a pleinement conscience de son bien-être.

Marie-Sarah Bouleau, *Figaroscope*, 12-18 avril 2017.

1. Lisez le texte et retrouvez les informations suivantes.

a. But de la méditation en pleine conscience : ....

b. Bienfaits attendus : ....

c. Personnel d'accompagnement : ....

d. Dispositif du bar à méditation : ....

e. Principes de décoration : ....

f. Conduite d'une séance : ....

g. Types de besoins travaillés : ....

Oral

N° 71 **1.** Vérifiez la compréhension du document sonore présentant un lieu insolite (Livre de l'élève, p. 114). Complétez les phrases.

a. C'est le petit cimetière ....

b. Il est situé ....

c. C'est un endroit ....

d. C'est un lieu ....

e. Ça fait penser ....

f. On y rencontre ....

COMPRÉHENSION DE L'ORAL

Écoutez le document sonore. Répondez aux questions en cochant (X) la bonne réponse.

N° 72

Aujourd'hui, direction la Bretagne, pour des activités insolites en famille : louez une pêcherie en pays de Retz.

1. Isabelle téléphone à l'Office du tourisme pour savoir si on peut louer une pêcherie.
   ❏ vrai   ❏ faux   ❏ on ne sait pas

2. Une pêcherie, c'est comme un hôtel.
   ❏ vrai   ❏ faux   ❏ on ne sait pas

3. Une pêcherie c'est un lieu où l'on peut passer de longues vacances.
   ❏ vrai   ❏ faux   ❏ on ne sait pas

4. C'est une cabane sur pilotis qui, à marée haute, est au milieu de l'eau.
   ❏ vrai   ❏ faux   ❏ on ne sait pas

5. On peut loger jusqu'à huit personnes.
   ❏ vrai   ❏ faux   ❏ on ne sait pas

6. C'est un lieu où il faut tout apporter pour boire, se nourrir, s'éclairer et dormir.
   ❏ vrai   ❏ faux   ❏ on ne sait pas

7. On peut venir n'importe quand pour pêcher, ramasser des coquillages...
   ❏ vrai   ❏ faux   ❏ on ne sait pas

COMPRÉHENSION DES ÉCRITS

Lisez puis analysez le document en répondant aux questions.

Dans le calme verdoyant du Jardin ferroviaire de Chatte

Il s'est pris de passion pour les trains miniatures, il en a fait un parc, à l'arrière de sa maison en 1988. Aujourd'hui, le Jardin ferroviaire de Chatte permet d'admirer de magnifiques pièces dans un écrin de verdure travaillé avec amour.

Imaginez, sur 1 300 m², un réseau de voies de 1 100 mètres, 70 aiguillages et une trentaine de trains : 250 wagons qui circulent sans arrêt. C'est bien simple, pendant la saison du Jardin ferroviaire de Chatte, ils parcourent 10 000 kilomètres !

Le Jardin ferroviaire de Chatte ? L'histoire d'un homme, d'une famille. « Mon père achetait plein de trucs dans les brocantes. Et puis il s'est pris de passion pour les trains miniatures. Cela envahissait la maison, raconte avec tendresse Jean-Philippe Abric, aujourd'hui à la tête de la structure. Un jour, ma mère lui a dit : "Stop ! Toi et tes jouets, vous sortez" ». Il la prend au mot et installe sa première boucle dans le jardin familial. « La fenêtre de la salle d'attente du dentiste donnait dessus. Le voir à quatre pattes, en train de mettre au point ses machines, ça intriguait les patients, ça les amusait. » Une idée germe alors dans l'esprit de Christian Abric. Et s'il créait un lieu spécialement dédié aux trains miniatures dans ce fameux jardin. Un pari. Nous sommes en 1985 et les sites de ce type ne sont pas nombreux. Personne n'y croit. Mais la chance tourne. Trois ans plus tard, avec l'aide d'amis, de ses fils, et de son épouse, il aménage les lieux : exit les arbres fruitiers, le potager et bonjour les petits trains, les maquettes, les voies ferrées. En avril 1988, le site ouvre au public. Le succès est immédiatement au rendez-vous. Depuis, le site n'a cessé d'évoluer. [...] Des lieux qui, dès 1990, sont devenus délibérément paysagers. Des arbres sont plantés, des espaces végétaux sont aménagés.

« Il y a moins de maquettes mais toujours autant de trains. Maintenant, on n'a plus une vision d'ensemble, c'est une succession de petits tableaux », explique Jean-Philippe, qui consacre beaucoup de temps à la taille des arbres. Et le rendu est vraiment étonnant, reposant. À travers les branches, on peut apercevoir une grange perdue dans un pré [...]. Ici, une succession de petits bassins faits de roches locales. Non loin, des magnolias en fleurs, une vasque / lac, vestige de la piscine familiale. Et toujours, les trains qui circulent, la vie qui s'anime.

Céline Bally, Le Progrès, 14/08/2016.

1. À quoi correspondent ces chiffres ?

a. 1 300 : ....

b. 1 100 : ....

c. 70 : ....

d. 10 000 : ....

2. Quelle est la passion de Jean-Philippe Albric ?

....

3. Comment est née l'idée de faire du jardin un lieu ouvert au public ?

....

4. Qu'est-ce qui est associé à ces dates ?

a. 1985 : ....

b. 1988 : ....

c. 1990 : ....

5. Qu'est-ce qui a changé dans l'organisation d'ensemble ?

....

6. Qu'est-ce qui fait du jardin un lieu à la fois reposant et étonnant ?

....

PRODUCTION ORALE

1. Entretien dirigé
Quel est le lieu que vous préférez dans votre ville ? Pourquoi ?

2. Exercice en interaction
Vous allez dans une librairie et vous demandez des conseils de lecture au libraire. Vous indiquez vos goûts, vous lui parlez du genre de livres que vous lisez, vous l'interrogez sur les nouveautés.

3. Expression d'un point de vue
Quelle place accorder au passé dans la compréhension et dans la gestion du présent ?

PRODUCTION ÉCRITE

Vous venez de participer à un stage de loisirs culturels ou sportifs offert par votre association. Vous écrivez le compte-rendu de ce stage au président de l'association. (160-180 mots)

....

....

....

....

....

....

....

....

....

....

Vocabulaire

1. Apprenez le vocabulaire.

Tablette (n. f.) ....
Écran (n. m.) ....
Catégorie (n. f.) ....
Randonnée (n. f.) ....
Lessive (n. f.) ....
Forfait (n. m.) ....
Épargne (n. f.) ....
Devis (n. m.) ....
Sinistre (n. m.) ....

Panne (n. f.) ....
Prestataire (n. m.) ....
Frustration (n. f.) ....
Obsession (n. f.) ....
Anonymat (n. m.) ....
Appréciation (n. f.) ....
Accéder (v.) ....
Résilier (v.) ....
Rechargé (adj.) ....

2. Vérifiez la compréhension des informations de la page « Achats Bon Plan » (Livre de l'élève, p. 120). Vrai ou Faux ?

	VRAI	FAUX
a. Ce portable a une faible autonomie et une grande mémoire.	❑	❑
b. Ce portable est le moins lourd de sa catégorie.	❑	❑
c. Ce tee-shirt conserve les odeurs.	❑	❑
d. Le forfait voyageur a le prix le plus intéressant.	❑	❑

3. Caractérisez un produit ou un service avec les adjectifs de la liste.

injustifié ; avantageux ; pratique ; appréciable ; excellent ; utile

a. Ce prix défie toute concurrence ; il est très ....

b. Ce produit a beaucoup d'usages ; il est ....

c. Cette personne rend des services pour des choses que je ne pourrais pas faire ; c'est une aide ....

d. Ce tarif est beaucoup trop élevé par rapport à la prestation fournie : il est ....

e. Ce sac permet de mettre beaucoup de choses, il est ....

f. Ce restaurant a une très bonne carte ; la cuisine est ....

4. Qu'est-ce qu'on dit quand on dit... ? Associez.

a. « Ça tombe bien, c'est exactement ce dont j'avais besoin... »   **1.** Ça me suffit.

b. « C'est comme ça que je me voyais... »   **2.** Ça me sert beaucoup.

c. « Pour ce que je veux en faire, je n'ai pas besoin de plus... »   **3.** Ça me correspond.

d. « Merci de me l'avoir prêté, je ne sais pas comment j'aurais fait... »   **4.** Je m'en contente.

e. « J'en ai vraiment tout le temps l'utilité... »   **5.** Ça me convient.

f. « Faute de mieux, je fais avec ce que j'ai... »   **6.** Ça me rend service.

5. Complétez les expressions avec les mots de la liste suivante.

une prestation ; un devis ; un contrat ; un forfait ; un sinistre ; les conditions de vente

a. résilier ....

b. accepter ....

c. noter ....

d. changer de ....

e. établir ....

f. évaluer ....

Grammaire

1. Qu'en penses-tu ? Reliez les deux phrases en utilisant « si...que », « tellement... que » ou « tant...que ».

Que pensez-vous de son nouveau livre ?

a. Il y a des passages magnifiques ; on oublie les moments plus faibles.

→ ....

b. C'est différent du précédent ; on découvre de nouvelles facettes du talent de l'auteur.

→ ....

c. L'intrigue est très présente ; on en oublie les personnages.

→ ....

d. Les dialogues sont trop écrits ; on a souvent l'impression qu'ils sont artificiels.

→ ....

e. Il y a trop de rebondissements ; on est content que ça finisse.

→ ....

f. Il y a des scènes très émouvantes ; on est plus indulgent pour les scènes ratées.

→ ....

2. Reliez avec « tellement... que » ou « si... que ».

Drôle de succès !

a. Il y a beaucoup de travail ; je dois rester plus longtemps.

....

b. On est peu nombreux ; on n'y arrive plus.

....

c. Les clients sont pressés ; on n'a pas le temps de leur expliquer.

....

d. Il y a beaucoup de demandes ; on ne peut pas servir tout le monde.

....

e. Notre produit se vend très bien ; les clients ne demandent même pas le prix.

....

f. Notre communication frappe fort ; la concurrence a du mal à réagir.

....

Oral

1. Réécoutez les messages des répondeurs (Livre de l'élève, p. 121). Qu'est ce que vous obtenez quand vous tapez... ?
N° 73

a. « 1 » dans le message 1 : ....

....

b. « 4 » dans le message 2 : ....

....

c. « 3 » dans le message 3 : ....

....

d. « 2 » dans le message 4 : ....

....

e. « 5 » dans le message 5 : ....

....

2. Nuancez vos impressions.
N° 74

a. Utilisez « bien ».
– Ce film est plus émouvant que l'autre ?
– Il est bien plus émouvant.
– Il est moins violent ?
– ....

b. Utilisez « plutôt ».
– Ce journal est plus engagé que l'autre ?
– ....
– Il est moins favorable au pouvoir ?
– ....

c. Utilisez « beaucoup ».
– Cet écrivain est plus drôle que l'autre ?
– ....
– Il est moins ironique ?
– ....

d. Utilisez « un peu ».
– Cette sculpture est plus originale que l'autre ?
– ....
– Elle est moins séduisante ?
– ....

e. Utilisez « tellement ».
– Cette musique est plus moderne que l'autre ?
– ....
– Elle est moins exotique ?
– ....

Vocabulaire

I. **Apprenez le vocabulaire.**

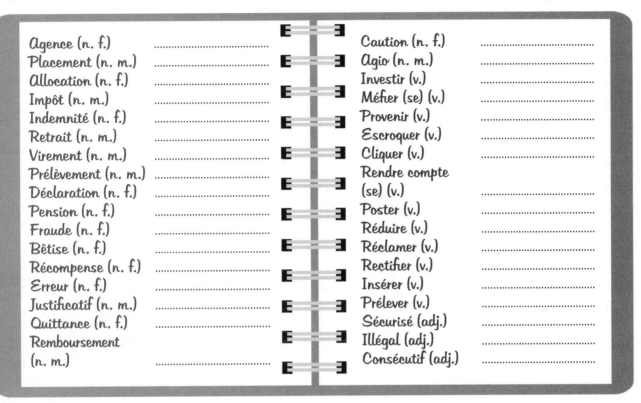

Agence (n. f.)	Caution (n. f.) ....
Placement (n. m.)	Agio (n. m.) ....
Allocation (n. f.)	Investir (v.) ....
Impôt (n. m.)	Méfier (se) (v.) ....
Indemnité (n. f.)	Provenir (v.) ....
Retrait (n. m.)	Escroquer (v.) ....
Virement (n. m.)	Cliquer (v.) ....
Prélèvement (n. m.)	Rendre compte (se) (v.) ....
Déclaration (n. f.)	Poster (v.) ....
Pension (n. f.)	Réduire (v.) ....
Fraude (n. f.)	Réclamer (v.) ....
Bêtise (n. f.)	Rectifier (v.) ....
Récompense (n. f.)	Insérer (v.) ....
Erreur (n. f.)	Prélever (v.) ....
Justificatif (n. m.)	Sécurisé (adj.) ....
Quittance (n. f.)	Illégal (adj.) ....
Remboursement (n. m.)	Consécutif (adj.) ....

2. **Qu'est-ce que je fais quand... ?**

a. J'envoie de l'argent à l'étranger depuis ma banque. → ....

b. Je prends de l'argent liquide au distributeur. → ....

c. Je vais porter de l'argent à la banque. → ....

d. J'achète des actions. → ....

e. Je rends tous les mois une somme fixe correspondant à une partie de l'argent que la banque m'a prêté.
→ ....

f. J'autorise la banque à prendre de l'argent sur mon compte pour régler un crédit mensuel à un autre organisme pour l'achat de mon ordinateur. → ....

3. **Complétez les expressions à l'aide de la liste.**

compte ; devises ; loyer ; domicile ; épargne ; quelqu'un

a. un justificatif de ....

b. une quittance de ....

c. une caution de ....

d. un relevé de ....

e. un plan de ....

f. un transfert de ....

4. Qu'est-ce que je fais ? Complétez avec les verbes de la liste.

placer ; prélever ; approvisionner ; virer ; rembourser ; retirer

a. J'ai fait des dettes. Je dois les ....

b. Mon compte est à découvert. Je l' ....

c. Je vais au distributeur, je .... de l'argent.

d. Je veux que mon argent me rapporte, je le ....

e. J'ai un compte à l'étranger, je fais .... de l'argent pour pouvoir en disposer.

f. J'ai un crédit, la banque .... tous les mois la même somme sur mon compte.

5. Trouvez le contraire.

a. retirer ≠ .... de l'argent

b. débiter ≠ .... un compte

c. emprunter ≠ ....

d. dépenser ≠ ....

e. ouvrir ≠ .... un compte

6. Manipuler l'argent. Vrai ou faux ?

	VRAI	FAUX
a. Si vous ne payez pas en liquide, vous payez en espèces.	☐	☐
b. Vous avez un billet de 10 €, mais vous avez besoin d'une pièce de 2 €. Vous allez faire de la monnaie.	☐	☐
c. Vous avez l'appoint ; le commerçant vous rend la monnaie.	☐	☐
d. Si vous avez de l'argent, vous avez de la monnaie.	☐	☐
e. Pour faire l'appoint, vous réglez en espèces.	☐	☐
f. Vous n'avez ni carte ni chèque, vous payez en liquide.	☐	☐

7. Argent et attitudes. Complétez.

jeter ; argent ; prix ; compter ; avare

a. Quand on aime, on ne .... pas.

b. Il manifeste peu ce qu'il ressent ; il est .... de ses sentiments.

c. Il dépense sans compter ; il .... l'argent par les fenêtres.

d. La santé, ça n'a pas de ....

e. Il prend tout pour .... comptant.

f. Le temps, c'est de .... !

Oral

1. Réécoutez l'audio de l'exercice 1 (Livre de l'élève, p. 122). Vérifiez la compréhension des échanges entre les clients et les commerçants. Complétez.

N° 75

a. La cliente ne peut pas payer, car elle ....
....

b. La serveuse rectifie ....
....

c. Le client n'a qu'un billet. La vendeuse ....
....

d. Le vendeur rend la monnaie ....
....

e. Le client paie ....

2. Réécoutez l'audio de l'exercice 4 (Livre de l'élève, p. 122). Vérifiez la compréhension des conversations entre les clients et leur conseiller bancaire. Vrai ou faux ?

N° 76

	VRAI	FAUX
a. Il approvisionne son compte par des virements d'Argentine.	❑	❑
b. Les parents refusent de se porter caution pour le prêt étudiant de leur fille.	❑	❑
c. Le compte d'Arnaud Montel est à découvert depuis trois mois.	❑	❑

Écrit

1. Vérifiez la compréhension des trois faits divers (Livre de l'élève, p. 123). Retrouvez dans quel fait divers il est question de...

	Tiphaine	Vincent Lahouse	Mukul Asaduzzaman
a. une facture			
b. une fraude			
c. un oubli			
d. un portefeuille			
e. un achat			
f. une consommation de données			
g. cliquer sur un lien			
h. contacter par téléphone			
i. poster des photos			
j. prélèvement illégal			
k. forfait			
l. argent liquide			

Unité 8 - Leçon 3 - Gérer son budget

Vocabulaire

1. Apprenez le vocabulaire.

Brocante (n. f.) ....
Vide-grenier (n. m.) ....
Trouvaille (n. f.) ....
Collecte (n. f.) ....
Récupération (n. f.) ....
Don (n. m.) ....
Chiffon (n. m.) ....
Dégât (n. m.) ....
Arranger (v.) ....

Débarrasser (se) (v.)............................
Encombrer (v.) ....
Envahir (v.) ....
Caritatif (adj.) ....
Insolite (adj.) ....
Fastidieux (adj.) ....
Abîmé (adj.) ....
Isolant (adj.) ....

2. DU VERBE AU SUBSTANTIF. Complétez.

a. donner → J'ai fait .... à cette association.

b. recycler → .... des emballages

c. récupérer → .... des appareils ménagers

d. vendre → .... des objets de décoration

e. collecter → .... des vêtements

f. trier → .... sélectif

3. Caractérisez avec les adjectifs de la liste.

en bon état ; inutile ; insolite ; sale ; abîmé ; sympa

a. C'est quoi ça ? On ne peut rien en faire. C'est un objet totalement ....

b. Il y aura beaucoup à faire pour remettre cette table en état ; elle est très ....

c. Un vase avec une forme comme ça... C'est .... ! Je n'ai jamais vu ça nulle part.

d. Ce tapis est joli mais qu'est-ce qu'il est .... ! Il y a des taches partout.

e. Tu as vu cette veste ? Je trouve ça .... à porter. Et en plus elle me va bien !

f. Tu devrais l'acheter cette voiture. Elle me paraît .... : pas une rayure à l'extérieur
et très propre à l'intérieur.

4. Trouvez le contraire.

a. un travail inutile ≠ ....

b. un objet abîmé ≠ ....

c. un lieu insolite ≠ ....

d. avoir les mains sales ≠ ....

e. un sweat sympa ≠ .... ;
une ambiance sympa ≠ ....

f. un appartement en bon état ≠ ....

5. CARACTÉRISER PAR LE PRIX. Associez les expressions.

a. Il me l'a laissé à bas prix.

b. Ça n'a pas de prix.

c. C'est cher.

d. C'est bon marché.

e. C'est d'un bon rapport qualité-prix.

1. C'est bien, mais c'est pas donné.

2. On en a pour son argent.

3. J'ai fait une affaire.

4. La liberté...

5. À ce prix, en bon état, il n'y a rien à dire...

Grammaire

1. EXPRIMER LA CONDITION ET LA RESTRICTION. Complétez avec « à condition que / de », « seulement si », « si », « ça dépend de », « sauf si ».

a. .... le temps est beau, on pourra faire cette balade.

b. On pourra aller se promener, ... il ne pleuve pas.

c. On pourra aller visiter ce musée, ... avoir le temps.

d. On ne fera pas le pique-nique prévu, ... le temps s'améliore.

e. On lancera les invitations .... on est sûr de pouvoir aller à la plage.

f. D'accord pour partir en excursion, mais .... la météo.

2. EXPRIMER DES CONDITIONS. Approuvez comme dans l'exemple.

a. – Elle pourra acheter cette lampe si elle a l'argent ?

– Oui, à condition qu'elle ait l'argent.

b. – Elle pourra vendre l'appartement si elle a l'autorisation ?

– Oui, ...

c. – Elle pourra acheter la maison si la banque lui prête de l'argent ?

– Oui, ...

d. – Elle pourra louer le bateau si elle a un permis ?

– Oui, ...

e. – Elle pourra échanger son studio si l'agence est d'accord ?

– Oui, ...

f. – Elle pourra rester dans l'appartement si le propriétaire ne veut pas le reprendre ?

– Oui, ...

Oral

1. Réécoutez la séquence radio « Visite à la "Ressourcerie" » (Livre de l'élève, p. 124). Vérifiez votre compréhension. Répondez aux questions.

N° 77

a. Qu'est-ce qu'on trouve à la Ressourcerie ?

....

b. Quel est le principe de fonctionnement ?

....

c. Quels sont les objectifs ?

....

d. À quoi correspondent ces chiffres ?

1. 70 : ....

2. 90 : ....

3. 700 : ....

4. 7 : ....

N° 78

2. Exprimez la condition et la restriction avec, dans l'ordre : « seulement si », « ça dépend de », « à moins que », « à condition que », « sauf si ».

Petits services entre amis

a. – Je travaille samedi. Vous pouvez vous occuper des enfants ?

– Oui, d'accord, si c'est dans la journée.

– Oui, d'accord, seulement si c'est dans la journée.

b. – Vous partez en vacances avec moi ?

– ....

– ....

c. – Je pars une heure. Vous pouvez répondre au téléphone à ma place ?

– ....

– ....

d. – Vous pouvez m'aider à repeindre mon studio ?

– ....

– ....

e. – Vous pouvez m'aider à préparer le repas ?

– ....

– ....

Écrit et civilisation

1. Lisez l'article et répondez aux questions.

Argent : (r)évolution numérique

Tout a changé dans notre relation à l'argent.
Portrait d'un univers en mutation.

Michel garde un souvenir joyeux de son enfance. Les jours de paie, il revoit son père faisant ruisseler les billets constituant son salaire. Jusqu'en 1970, beaucoup de salariés étaient payés en espèces et vivaient sans domiciliation bancaire. Aujourd'hui, la plupart des Français détiennent un ou plusieurs comptes. Par confort autant que par obligation. [...]

« Entre le début et la fin de mon exercice, la part des patients qui payaient en liquide est passée de 80 % à 20 % » témoigne ce médecin retraité. En France, pourtant, 55 % des transactions sont encore réalisées en espèces : un moyen de paiement critiqué par les banques et les gouvernements aux yeux desquels il est « encombrant, coûteux, dangereux et néfaste à l'environnement ».

Nous continuons aussi d'émettre 70 % des chèques de l'Europe ! [...] Car en dépit de son apparent archaïsme, il demeure un instrument apprécié des personnes à faibles revenus. « Je peux vous faire deux chèques ? » ou « Vous pouvez ne l'encaisser qu'à partir du 15 ? » sont des phrases familières aux oreilles des artisans et des dirigeants de clubs sportifs.

Déjà environ 7 % des Français de plus de 18 ans ont franchi le pas de la banque en ligne. Elle inaugure un nouveau type de relation : la gratuité des services – y compris carte bancaire – contre l'absence de guichets. Toutes les conversations se font à distance. Une offre attractive, puisque la carte bancaire, bien que payante, est le chouchou des moyens de paiement. En France, elle a été utilisée pour la moitié des achats, soit un total de 445 milliards d'euros. Grâce à elle, on peut retirer de l'argent et payer ses achats aux quatre coins du monde. [...]

La carte bancaire est déclinée de mille façons. Incrustée d'une pierre précieuse dans sa version la plus luxueuse, retirée au bureau de tabac dans sa version Nickel. Dans ce dernier cas, même plus besoin de compte en banque : une adresse mail suffit à l'activer. Une idée née pour servir des exclus du système bancaire, qui a finalement séduit toute une frange de la population salariée. [...]

Stéphanie Lacombe, *MAIF social CLUB*

a. Quelle évolutions enregistrent ces trois chiffres ?

1. 55 % : ....

2. 70 % : ....

3. 7 % : ....

b. Comment étaient payés les salaires jusqu'en 1970 ?

....

c. Quel constat fait le médecin à propos du règlement des consultations par les patients ?

....

....

d. Quel rapport les Français entretiennent-ils avec le chèque ?

....

....

e. Quel est le moyen de paiement préféré des Français ? Justifiez votre réponse.

....

....

f. Quel est l'avantage d'avoir un compte en ligne ?

....

....

Unité 8 - Leçon 4 - Parler des modes de consommation

Vocabulaire

1. Apprenez le vocabulaire.

Cueillette (n. f.) ....
Vitamine (n. f.) ....
Coulis (n. m.) ....
Clientèle (n. f.) ....
Diversification (n. f.) ....
Intermédiaire (n. m.) ....
Occasion (n. f.) ....
Perceuse (n. f.) ....
Commission (n. f.) ....
Répartir (v.) ....

Récolter (v.) ....
Dérouler (se) (v.) ....
Louer (v.) ....
Entraider (s') (v.) ....
Décoller (v.) ....
Gorgé (adj.) ....
Dégressif (adj.) ....
Militant (adj.) ....
Caritatif (adj.) ....

2. Vérifiez la compréhension du reportage vidéo « Du producteur au consommateur » (Livre de l'élève, p. 126). Retrouvez les informations suivantes.

a. Nom de l'entreprise : ....
b. Type d'activité : ....
c. Principe : ....
d. Produits proposés : ....
e. Avantages pour le consommateur : ....
f. Changement dans la relation économique : ....

3. Écoutez le reportage et notez tous les mots qui ont un rapport avec le commerce.

....
....

4. À quel domaine appartient chacun de ces adjectifs ? Associez.

a. caritatif
b. militant
c. collaboratif
d. local
e. dégressif

1. économie
2. religieux
3. politique
4. associatif
5. géographique

5. Trouvez le sens des expressions soulignées.

a. un système donnant-donnant → ....
b. un système qui a fait des petits → ....
c. en bout de ligne, on fait des économies → ....
d. un gage de confiance → ....
e. c'est un casse-tête → ....

6. Trouvez les contraires.

Consommer différemment

a. perdre ≠ ....

b. acheter ≠ ....

c. dépenser ≠ ....

d. vendre ≠ ....

e. posséder ≠ ....

f. augmenter ≠ ....

7. Eʀxᴘʀɪᴍᴇʀ ʟ'ɪᴅᴇ́ᴇ ᴅᴇ ᴍᴏʏᴇɴ. **Complétez avec les expressions de l'encadré « Pour s'exprimer » (Livre de l'élève, p. 127).**

• *Trouver un appartement...*

a. .... la consultation de sites spécialisés ;

b. avec .... une agence.

• *Renseigner un site spécialisé...*

c. .... à affiner la recherche ;

d. .... la sélection de l'appartement recherché.

• *Confier la vente de son appartement à une agence...*

e. permet d'obtenir .... de vendeurs spécialisés ;

f. .... le vendeur.

Écrit et civilisation

1. Lisez l'article et répondez aux questions.

Les pop-up stores fleurissent au printemps

Le temps d'une saison ou de quelques semaines, des boutiques, bars, terrasses, expositions, évènements culinaires s'installent dans un format court dans la capitale. L'occasion pour chacun d'aller librement à la découverte. Rencontre avec Thierry Bisseliches, cofondateur de l'agence « My pop up store » qui lance une dizaine de concepts par mois.

Le Figaroscope : De quel constat est née votre société ?
Thierry Bisseliches : D'une anecdote personnelle, quand je travaillais à New York en 2004. J'étais complètement médusé par l'ampleur que prenait Halloween là-bas. Tout le monde passait son week-end à faire la queue dans des magasins de déguisements. Ces boutiques spécialisées, souvent situées en dehors de la ville, avaient un pic d'activité concentré sur quelques jours. À l'époque, je me demandais pourquoi ces entreprises n'ouvraient pas des annexes au cœur de la ville pendant quelques jours à cette période. D'une façon plus générale, je me suis mis en tête qu'il serait utile de créer une sorte de galerie pouvant accueillir différents concepts sur des opérations courtes. Mais je n'avais pas encore assez d'expérience... jusqu'en 2009, où je me suis lancé en créant My Pop Up Store avec mon frère Adrien !

Qu'apportez-vous aux marques ?
Nous leur proposons de créer un magasin éphémère sur mesure en trois étapes : la recherche de l'emplacement à louer sur le court terme (nous disposons d'un catalogue de près d'un millier de lieux dont la moitié à Paris), la production évènementielle (concept, design, réalisation, animation...) et la mise en place de l'équipe de vente et du management, du système de caisse et de la gestion des stocks. [...]

Quel est l'intérêt pour une marque de créer un magasin éphémère ?
Du point de vue de sa communication, elle cherche à gagner en notoriété. Par exemple, certaines marques optent pour des opérations coups de poing sur quelques jours pour réaliser un coup médiatique autour du lancement d'un produit. Les marques uniquement présentes sur Internet cherchent à incarner leur identité en réunissant toute leur gamme pour les tester, affiner leurs choix voire se repositionner. Elles sont aussi à la recherche d'une connexion physique avec leur public et d'une visibilité comme une campagne d'affichage en grandeur nature. [...]

Propos recueillis par Marie-Sarah Bouleau, *Le Figaroscope*, 12-18 avril 2017.

a. À quoi correspondent ces deux dates ?

1. 2004 : ....

2. 2009 : ....

b. Définissez un « pop up store ».

....

c. Donnez un titre à chacune des trois étapes de la création d'un magasin éphémère.

1. ....

2. ....

3. ....

d. Quelles sont les différentes stratégies des marques en matière de création de magasin éphémère ?

....

....

Oral

N° 79

1. Écoutez la chronique radio. Répondez aux questions en cochant la ou les bonnes réponses.

a. La vente en vrac, c'est :
- ❑ **1.** la vente à prix discount.
- ❑ **2.** la vente à la pesée.
- ❑ **3.** la vente sans emballage.

b. L'intérêt de la vente en vrac, c'est de :
- ❑ **1.** limiter le gaspillage alimentaire.
- ❑ **2.** limiter les emballages.
- ❑ **3.** faire un geste pour la planète.

c. À quelle règle correspond chacune de ces recommandations ?

	Règle n° 1	Règle n° 2	Règle n° 3	Règle n° 4	Règle n° 5
1. Accepter de jouer à la marchande.					
2. Acheter seulement la quantité dont on a besoin puis faire peser.					
3. Ne pas payer l'emballage, seulement le produit acheté.					
4. Arriver avec des bocaux et des bouteilles vides prêts à l'emploi.					
5. Écoutez les bons conseils avant d'acheter ou en achetant.					

Vocabulaire

1. Apprenez le vocabulaire.

Facturation (n. f.) ....

Entretien (n. m.) ....

Gaspillage (n. m.) ....

Canalisation (n. f.) ....

Obligation (n. f.) ....

Précarité (n. f.) ....

Constat (n. m.) ....

Prospectiviste (n. m.) ....

Paradigme (n. m.) ....

Inefficacité (n. f.) ....

Afficher (v.) ....

Figurer (v.) ....

Éradiquer (v.) ....

Surprenant (adj.) ....

Dérisoire (adj.) ....

Pervers (adj.) ....

Vétuste (adj.) ....

Inconditionnel (adj.) ....

Farfelu (adj.) ....

2. Vérifiez la compréhension des articles (Livre de l'élève, p. 129). Vrai ou Faux ?

a. « L'eau gratuite pour tous ? »

	VRAI	FAUX
1. Il n'existe pas de compteurs d'eau au Canada.	☐	☐
2. L'eau est facturée au m³ consommé.	☐	☐
3. Le Canada a une réserve d'eau trois fois grande comme la France.	☐	☐
4. Les Canadiens gaspillent l'eau, dont ils sont gros consommateurs.	☐	☐
5. On envisage de mettre fin à cette gratuité.	☐	☐

b. « Le revenu de base universel, débat »

	VRAI	FAUX
1. La question du revenu universel est une question encore taboue.	☐	☐
2. Chacun recevrait entre 500 et 1 200 euros.	☐	☐
3. L'objectif de cette mesure est de repenser l'économie, la fiscalité et le travail.	☐	☐
4. La troisième révolution industrielle oblige à changer de paradigme.	☐	☐
5. Les vieilles recettes ont été très efficaces.	☐	☐

3. Caractériser. Trouvez le synonyme des adjectifs suivants.

a. un soutien inconditionnel = ...

b. une idée farfelue = ...

c. un raisonnement surprenant = ...

d. un choix pervers = ...

e. un sujet tabou = ...

f. une objection dérisoire = ...

4. Caractériser. Trouvez le contraire.

a. un soutien inconditionnel ≠ ....

b. une idée farfelue ≠ ....

c. un raisonnement surprenant ≠ ....

d. un choix pervers ≠ ....

e. un sujet tabou ≠ ....

f. une objection dérisoire ≠ ....

5. Complétez avec un verbe de la liste.

éradiquer ; changer ; redistribuer ; bousculer ; repenser ; afficher

Demandez le programme !

a. .... son optimisme face à la gravité de la situation.

b. .... les richesses pour plus d'égalité.

c. .... le rapport au travail.

d. .... de modèle social.

e. .... la pauvreté.

f. .... les idées reçues.

6. Associez les mots et leur domaine d'appartenance.

a. facturation

b. impôt

c. revenu

d. précarité

e. gaspillage

f. partage

1. fiscalité

2. économie collaborative

3. échange

4. écologie

5. social

6. rémunération du travail ou du capital

Oral

1. Écoutez la chronique radio « Convertir tout un territoire au bio... ». Répondez aux questions.

N° 80

a. À quoi correspondent ces chiffres ?

1. 30 % : ....

2. 5 % : ....

3. 22 000 ha : ....

4. 54 000 : ....

5. 50 % : ....

b. Quel est le but de ces associations ?

1. Biovallée : ....

2. Agri Court : ....

3. Terre de Liens : ....

c. Racontez le parcours de Michel.

....

....

....

d. Citez le nom de deux entreprises qui témoignent de la réussite du bio.

....

....

COMPRÉHENSION DE L'ORAL

N° 81

Écoutez l'émission de radio « Au Fab Lab ». Répondez aux questions en cochant (X) la ou les bonnes réponses.

Petits ateliers collaboratifs, les Fab Labs se multiplient en France. À Saint-Ouen (proche banlieue parisienne), l'Atelier solidaire a choisi l'autoréparation de vélos et la menuiserie pour retisser du lien social.

1. Olivier vient avec son vélo parce que :
❑ son vélo est cassé.
❑ il a abîmé sa roue.
❑ il n'a plus de freins.
❑ il a cassé une pédale.

2. Thierry propose à Olivier de :
❑ changer le frein.
❑ chercher un câble sur un autre vélo.
❑ changer le câble de frein.
❑ prendre un autre vélo.

3. Pour réparer :
❑ Olivier fait lui-même la réparation.
❑ Thierry confie la réparation à quelqu'un qui sait faire.
❑ Thierry conseille Olivier.
❑ Thierry laisse Olivier se débrouiller tout seul.

4. Au Fab Lab :
❑ il faut apporter ses outils.
❑ on peut acheter des outils.
❑ on trouve des outils.
❑ on trouve des pièces de rechange.

COMPRÉHENSION DES ÉCRITS

Lisez le document. Dégagez pour chacun des amis, ce qui convient et ce qui ne convient pas.

Charlotte, Sophie, Cédric, Thomas sont tous les quatre des amoureux du cinéma. Ils adorent aller sur les lieux où ont été tournés les films. Ils veulent organiser un voyage à travers la France mais ils ont des envies contradictoires : Charlotte adore le nord de la France, les grandes plages, mais déteste les films de guerre et elle aime bien découvrir les vins d'une région. Sophie aime les films historiques, les comédies et les paysages de montagne. Cédric aime les films de guerre et il a une passion pour le cinéaste Claude Lelouch. Thomas aime les comédies, les grandes demeures historiques et les paysages de montagne.

Sur les routes du 7ᵉ art

› Coup de cœur en Bourgogne

Le lien entre Beaune, la cité des vins de Bourgogne, et le cinéma n'est pas nouveau. Les fameuses Hospices et leur grande salle des Pôvres sont indissociables de *La Grande Vadrouille* avec De Funès et Bourvil tournée ici en 1966. Mais aussi du coup de foudre que Claude Lelouch, le cinéaste oscarisé de *Un homme et une femme* (1965), a eu pour ce lieu : il y tourne des séquences de *Roman de gare* (2006), *Salaud, on t'aime* (2013) et *Chacun sa vie* (2017) dont le tournage a fait un petit détour par les célèbres vignobles de Volnay. Cédric Klapisch a, lui, posé la caméra de *Le Vin et le Vent* (2017) à Meursault, Puligny et Chassagne-Montrachet.
www.beaune-tourisme.fr et www. hospices-de-beaune.com

› Rhône-Alpes et la star des plateaux : le Vercors

Partagé entre l'Isère et la Drôme, le massif du Vercors dévoile ses étendues de forêts et ses découpes rocheuses spectaculaires. Christian Carion « a été fasciné par les falaises, le côté abrupt, les routes qui doivent conquérir les sommets. » C'est autour des stations de ski de Villard-de-Lans, Lans-en-Vercors, Autrans, qu'il avait tourné en 2000-2001, *Une hirondelle a fait le printemps* avec Mathilde Seigner et Michel Serrault, et qu'il vient de tourner des séquences de *Mon Garçon* avec Guillaume Canet et Mélanie Laurent à découvrir fin 2017.
Nicolas Vanier a mis en valeur les paysages vers Font d'Urle en

ouverture de son film d'aventure *Belle et Sébastien* (2013) avant d'aller explorer les reliefs plus accentués de la Haute Maurienne. Et c'est La Chapelle et Saint-Martin-en-Vercors qui ont accueilli Omar Sy pour le tournage de *Knock* (2017) dont il interprète le rôle principal. *www.vercors.fr*

› Le Nord et Dunkerque

Le cinéma aime aussi les paysages du Nord. Longues jetées sur la mer du Nord pour Fanny Ardant dans *Les Beaux Jours* (2013) de Marion Vernoux, carnaval de Dunkerque célébré par Thomas Vincent dans son *Karnaval* (1999) mais surtout grandes plages, jetée du port, village de Malo-les-Bains transformé en champ de bataille pour les caméras de Christopher Nolan (*Inception, Batman, The Dark Knight*), ses 450 techniciens et 2 000 figurants mobilisés pour le tournage de *Dunkirk*, une superproduction hollywoodienne qui raconte l'évacuation en juin 1940 de 400 000 soldats britanniques, français et belges.
www.dunkerque-tourisme.fr

› Versailles en Périgord

Hautefort et son château, son mobilier d'époque, son parc, ses jardins accueillent depuis 50 ans les reconstitutions historiques qui ont pour cadre le Grand Siècle. Bourvil et Jean Marais ont tourné là *Le Capitan* (1960), un film à succès de cape et d'épée. Cinquante-six ans plus tard, Albert Serra (*La Mort de Louis XIV*, 2016) a tourné là la mort du Roi-Soleil avec Jean-Pierre Léaud, le jeune Antoine Doinel des *Quatre Cents Coups* de François Truffaut.
www.chateau-hautefort.fr

	Bourgogne		Vercors		Dunkerque		Périgord	
	convient	ne convient pas	convient	ne convient pas	convient	ne convient pas	convient	ne convient pas
Charlotte								
Sophie								
Cédric								
Thomas								

PRODUCTION ORALE

1. ENTRETIEN DIRIGÉ
Parlez de votre fréquentation ou non des réseaux sociaux.

2. EXERCICE EN INTERACTION
Sur le site « Le bon coin », vous avez vu une tablette à vendre. Vous êtes intéressé(e). Vous téléphonez au vendeur.

3. EXPRESSION D'UN POINT DE VUE
Relisez le Point Infos (Livre de l'élève, p. 126) sur les nouveaux modes de consommation. Que pensez-vous de ces nouveaux modes de consommation ? Pour le consommateur ? Pour l'emploi ? Pour l'économie ?

PRODUCTION ÉCRITE

Vous avez acheté un de ces nouveaux objets connectés. Vous envoyez une lettre au service commercial pour dire votre mécontentement sur le service après-vente. (160-180 mots)

....

....

....

....

....

....

....

....

....

....

....

....

....

....

....

....

Unité 9 - Leçon 1 - S'intégrer dans une ville

Vocabulaire

1. Apprenez le vocabulaire.

Affinité (n. f.) ....   Agrandir (v.) ....
Timidité (n. f.) ....   Isolé (adj.) ....
Barrière (n. f.) ....   Passionné (adj.) ....
Rejeter (v.) ....   Coincé (adj.) ....

2. Vérifiez la compréhension du Forum des nouveaux résidents (Livre de l'élève, p. 134). Complétez les informations relatives aux différents témoignages.

a. Jean est arrivé à La Rochelle ....

b. Il y a un an, il ....

c. Il avait des liens avec La Rochelle : ....

d. Il a essayé de s'intégrer de plusieurs manières : ....

e. Le plus difficile, c'est ....

f. Céline explique l'impression de rejet par ....

g. Son mode d'emploi pour se faire un petit cercle d'amis : ....

h. Julie donne des exemples de sa stratégie de recherche de contacts : ....

i. Son conseil : ....

3. CARACTÉRISER. Complétez avec un adjectif de la liste.

ouvert ; méfiant ; passionné ; sympa ; coincé ; timide

a. Il a de très grosses difficultés dans son rapport avec les autres ; il est ....

b. Elle marque toujours une certaine réserve ; elle est ....

c. Il montre toujours qu'il s'intéresse aux autres ; il est ....

d. Quand il commence à parler cinéma, tu ne peux plus l'arrêter ; il est ....

e. On a tout de suite eu des affinités avec eux, on les a trouvés ....

f. Elle demande des preuves avant d'exprimer sa sympathie ; elle est ....

4. CARACTÉRISER. Trouvez le contraire des adjectifs de l'exercice 3.

a. Il va facilement vers les autres ; il est ....

b. Elle ne s'en laisse pas compter, elle prend les devants ; elle est ....

c. Il passe à côté des autres sans les voir ; il est ....

d. Cinéma, littérature, art, musique, il ne s'enthousiasme jamais pour rien ; il est ....

e. Ils regardent toujours les gens de haut ; ils sont ....

f. Elle affronte les gens les yeux dans les yeux ; elle est .... d'elle-même.

5. Complétez avec les verbes de la liste.

rejeter ; recevoir ; rencontrer ; inviter ; organiser ; participer

a. Ils sont inscrits dans plusieurs clubs ; ils .... à de nombreuses activités.

b. Ils sont très généreux ; ils .... souvent chez eux.

c. Ils sortent souvent ; ils .... beaucoup de monde.

d. Avec leur association, ils .... des sorties découvertes.

e. Ils ne connaissent personne ; ils ont le sentiment qu'on les ....

f. Ils ont une vie sociale riche ; ils .... beaucoup d'invitations.

Grammaire

1. Présentez des situations contradictoires. Utilisez l'expression entre parenthèses.

Relations difficiles

a. Il connaît bien la ville. Il n'a pas d'amis. *(bien que)*

→ ....

b. Il fréquente les sites des associations. Il ne réussit à rencontrer personne. *(malgré)*

→ ....

c. Il va faire du sport dans un club. Personne ne lui propose de prendre un verre après les entraînements. *(avoir beau)*

→ ....

d. Les étrangers invitent facilement. Les Français ouvrent difficilement leur porte. *(alors que)*

→ ....

e. Ils parlent avec tout le monde au lycée. Ils n'arrivent pas à créer de vraies relations. *(bien que)*

→ ....

2. EXPRIMER LA CONTRADICTION. Reliez les deux phrases avec *bien que*.

a. Il n'a pas gagné le concours. Il a été sélectionné.

→ ....

b. Il n'a pas pris cet emploi. Il a été retenu.

→ ....

c. Il suit quand même l'activité de l'entreprise. Il est en vacances.

→ ....

d. Il n'a pas assisté au séminaire. On lui a promis de l'inviter.

→ ....

e. Il n'a pas obtenu de promotion. Il est très brillant.

→ ....

f. Il a accepté le marché. Les conditions ne sont pas bonnes.

→ ....

Oral

1. Écoutez. Repérez la voyelle + [r] en finale de mot. Notez.

N° 82 *S'intégrer passe par...*

– entretenir de bons rapports ;
– choisir un sport collectif ;
– parvenir à trouver un job d'avenir ;
– accomplir un bon parcours professionnel.

2. Écoutez. Repérez la voyelle + [r] devant consonne. Notez.

N° 83 *Pas si simple...*

Il est surpris ?
Normal...
Elle est sportive...
Elle est en forme...
Elle est universitaire...
En archéologie, elle est très forte !

3. Reliez ces contradictions avec *bien que*.

N° 84

a. Il est compétent mais il ne convainc pas.
→ **Bien qu'il soit compétent, il ne convainc pas.**

b. Il est intelligent mais il ne réussit pas.

→ ....

c. Elle est aimable mais elle ne communique pas.

→ ....

d. Il est dynamique mais il ne sait pas s'affirmer.

→ ....

e. Elle a beaucoup de volonté mais elle n'obtient pas de bons résultats.

→ ....

f. Il est désagréable mais les gens l'aiment bien.

→ ....

4. Réécoutez l'audio de l'exercice 3 (Livre de l'élève, p. 134). Vérifiez la compréhension de l'interview de François qui a travaillé au Sénégal. Complétez les phrases.

N° 85

a. François est à Clermont-Ferrand depuis ....
b. À Dakar, dès que tu arrives, ...
Ici, ...
c. Je suis directeur. Bien que je sois sympa avec eux, ...
d. C'est grâce aux enfants ....
e. Les voisins, ...
f. Il y a un couple avec qui on partage pas mal de choses : ....

Vocabulaire

Apprenez le vocabulaire.

Franchise (n. f.)	Délinquant (n. m.) ....
Préoccupation (n. f.)	Portique (n. m.) ....
Honnêteté (n. f.)	Vigile (n. m.) ....
Engagement (n. m.)	Réformer (v.) ....
Crédibilité (n. f.)	Engager (s') (v.) ....
Bénéfice (n. m.)	Concret (adj.) ....
Disparité (n. f.)	Efficace (adj.) ....
Sondage (n. m.)	Compétent (adj.) ....
Surveillance (n. f.)	

2. DU SUBSTANTIF À L'ADJECTIF. Caractérisez.

a. Courage → Elle sait prendre des décisions, elle est ....

b. Franchise → Elle ne triche pas ; elle parle avec des mots ....

c. Sympathie → Elle a une relation .... avec les gens.

d. Honnêteté → Elle est intellectuellement très ....

e. Autorité → Elle sait ce qu'elle veut ; elle a un caractère ....

f. Crédibilité → Ses propositions sont toujours ....

3. Trouvez le contraire.

a. une attitude courageuse ≠ ....

b. un caractère franc ≠ ....

c. une personnalité sympathique ≠ ....

d. une pensée honnête ≠ ....

e. une pratique autoritaire ≠ ....

f. un raisonnement crédible ≠ ....

4. DU VERBE AU SUBSTANTIF. Complétez.

a. supprimer → .... des impôts

b. développer → .... des recherches médicales

c. interdire → .... de fumer dans les lieux publics

d. améliorer → .... des conditions d'accueil du public

e. taxer → .... des voitures polluantes

f. créer → .... de nouveaux services à la personne

5. Associez les lieux suivants aux domaines de l'action publique de la question 4 du sondage (Livre de l'élève, p. 136).

a. l'hôtel de police

b. le musée

c. l'entreprise

d. une ambassade

e. l'hôpital

f. un parc naturel

g. une maison

1. la famille
2. la santé
3. la sécurité
4. l'environnement
5. la communication et la culture
6. l'économie
7. la politique étrangère
8. l'emploi

6. Faites correspondre les adjectifs et leur définition.

concret ; efficace ; impopulaire ; sévère ; compétent

a. « mal vu par le peuple » → une mesure ....

b. « dur, exigeant » → un directeur ....

c. « connaît bien ce dont il parle » → un artisan ....

d. « associé aux sens ; exprime quelque chose de matériel » → un cas ....

e. « qui produit un effet attendu » → un produit ....

Grammaire

1. Commentez ce sondage. Remplacez les pourcentages par l'un des pronoms indéfinis suivants.

> ### Sondage : Qu'attendez-vous du futur Président ou de la future Présidente ?
>
> Faciliter la création d'entreprise : **100 %**
> Plus d'égalité salariale entre les hommes et les femmes : **90 %**
> Davantage de vivre ensemble : **65 %**
> Un coup de pouce pour les étudiants : **10 %**
> Un vrai congé paternité : **5 %**
> La mise en place d'un revenu universel : **2 %**
> L'allègement des droits de succession : **0 %**

beaucoup ; tous ; la plupart ; un certain nombre ; quelques-uns ; aucun ; plusieurs ; pas un

a. .... souhaitent que l'on facilite la création d'entreprise.

b. .... réclament plus d'égalité salariale entre les hommes et les femmes.

c. .... insistent sur l'amélioration du vivre ensemble.

d. .... demande qu'on donne un coup de pouce pour les étudiants.

e. .... attendent la mise en place d'un vrai congé paternité

f. .... rêvent de la mise en place d'un revenu universel.

g. .... n'envisage un allègement des droits de succession.

Écrit et civilisation

1. Lisez l'article et répondez aux questions.

LES CITOYENS-INTERNAUTES DONNENT DE LA VOIX
Les technologies « civiques » permettent de faire de la politique autrement, à coups de pétitions, de débats, de mobilisation en ligne.

Plus d'un million de personnes ont signé la pétition en ligne contre la loi Travail l'an dernier. Quelque 150 000 Français ont contribué à l'élaboration de la loi pour une République numérique, définitivement adoptée en septembre 2016. Depuis 2012, trois millions d'internautes ont comparé les programmes des candidats aux différentes élections sur le site Voxe.org. […]

À chaque fois, ces citoyens connectés ont utilisé les nouvelles technologies de participation citoyenne, appelées aussi « *civic tech* », afin de se faire entendre.

Ces plateformes web ou applications pour mobiles ont été créées par des associations, des start-up ou des mouvements qui se disent non-partisans et indépendants. Leur volonté ? Redonner le pouvoir d'agir aux citoyens. Autrement dit, ces outils offrent la possibilité d'influer sur les prises de décision. « *Certains rendent la vie politique plus transparente, d'autres facilitent la participation ou*

bien encore simplifient l'engagement. » précise la cofondatrice de Voxe.org, Léonore de Roquefeuil. Ces outils numériques trouvent un écho grandissant dans la société. Ils répondent au besoin exprimé par les Français d'être mieux entendus et de participer aux décisions qui les concernent. Ils sont également adaptés à la façon dont, aujourd'hui, les citoyens s'informent, débattent ou se mobilisent sur Internet et les réseaux sociaux. « *L'émergence des « civic tech » coïncide avec un grand ras-le-bol vis-à-vis des formes traditionnelles de la politique*, résume Romain Badouard, chercheur en sciences de l'information et de la communication. *Si ces outils permettent d'effectuer la jonction entre le mécontentement populaire et l'idée qu'il faut faire de la politique autrement, alors le potentiel de changement est important.* »

Alexandra Luthereau, *Le Parisien Magazine*, 13 janvier 2017.

a. À quoi correspondent ces chiffres ?
1. un million : ....
2. 150 000 : ....
3. trois millions : ....
b. Comment appelle-t-on en français « civic tech » ?
....
c. Quel est l'objectif des start-up et des associations ?
....
d. Retrouvez les analyses qui dans le texte portent :
1. sur les conséquences de la mise en place des outils numériques de participation citoyenne :
....
....
2. sur le potentiel de changement apporté par ces outils numériques :
....
....

Vocabulaire

1. Apprenez le vocabulaire.

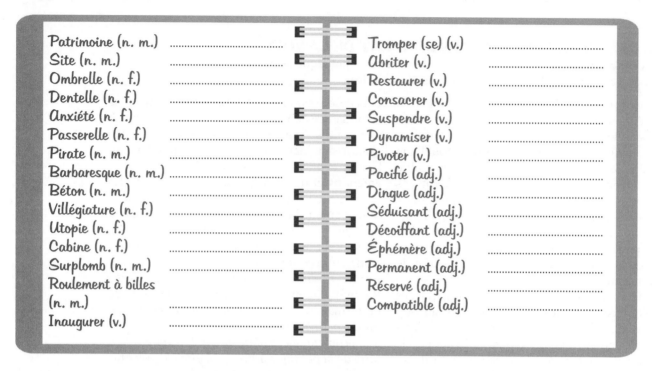

Patrimoine (n. m.) ....
Site (n. m.) ....
Ombrelle (n. f.) ....
Dentelle (n. f.) ....
Anxiété (n. f.) ....
Passerelle (n. f.) ....
Pirate (n. m.) ....
Barbaresque (n. m.) ....
Béton (n. m.) ....
Villégiature (n. f.) ....
Utopie (n. f.) ....
Cabine (n. f.) ....
Surplomb (n. m.) ....
Roulement à billes
(n. m.) ....
Inaugurer (v.) ....

Tromper (se) (v.) ....
Abriter (v.) ....
Restaurer (v.) ....
Consacrer (v.) ....
Suspendre (v.) ....
Dynamiser (v.) ....
Pivoter (v.) ....
Pacifié (adj.) ....
Dingue (adj.) ....
Séduisant (adj.) ....
Décoiffant (adj.) ....
Éphémère (adj.) ....
Permanent (adj.) ....
Réservé (adj.) ....
Compatible (adj.) ....

2. EXPRIMER UN SENTIMENT. **Qu'est-ce qu'il exprime quand il dit... ? Associez.**

a. « Oui... bon... c'est peut-être très bien, mais ce n'est pas pour nous. »

b. « Mais qu'est-ce qu'ils vont en penser ? »

c. « Je n'oserais jamais leur présenter un projet comme celui-là. »

d. « Quelle réussite ! C'est vraiment magnifique ! »

e. « Je n'avais pas imaginé ça comme ça... »

f. « Ça a décidément beaucoup de charme... ! »

1. Il a peur.

2. Il est séduit.

3. Il est anxieux.

4. Il est étonné.

5. Il est admiratif.

6. Il est réservé.

3. EXPRIMER UNE OPINION. **Complétez avec un verbe de la liste suivante.**

apprécier ; interpréter ; rassurer ; estimer ; admirer ; douter

a. Qu'est-ce qu'il a voulu montrer ? Qu'est-ce que ça signifie ? C'est difficile à ....

b. Sa valeur sur le marché de l'art ? Il faut le faire ....

c. Son authenticité est discutable : on peut vraiment en ....

d. Quelle magnifique restauration ! On ne peut que l'...............................

e. Je tiens à vous ...., le projet sera mené à son terme.

f. Compliqué d'............................... quelle a été vraiment sa part dans la prise de décision de construire la salle de concert.

4. CARACTÉRISER. **Trouvez le synonyme. Associez.**

a. éphémère

b. décoiffant

c. dingue

d. utopique

e. délicat

f. séduisant

1. surprenant

2. raffiné

3. bref

4. irréalisable

5. attrayant

6. fou

5. **Vérifiez la compréhension de l'article « Chambre avec roue » (Livre de l'élève, p. 139). Complétez.**

a. Les cabines de la grande roue sont ....

b. Comme toute grande roue, la grande roue ....

c. C'est un hôtel qui peut être installé dans différents lieux : ....

d. Le but des architectes est ....

e. La mairie de Paris est ....

f. En revanche, la ville de Bordeaux trouve le projet ....

Grammaire

1. **Construisez des propositions participes avec le participe présent. Reliez les deux phrases.**

Condition féminine

a. Elle travaille beaucoup ; elle a du mal à s'occuper de ses enfants.

....

b. Elle se concentre sur quelques propositions ; elle évite de se disperser.

....

c. Elle participe à des recherches ; elle n'a plus le temps d'enseigner.

....

d. Elle rentre tard ; elle a abandonné le sport.

....

e. Elle a eu une promotion ; elle a accepté de nouvelles responsabilités.

....

f. Elle réfléchit à un nouveau projet ; elle poursuit quand même ses recherches.

....

2. **Construisez des propositions participes avec le participe passé. Reliez les deux phrases.**

Paroles de guide

a. La tour Eiffel a été érigée pour l'Exposition universelle ; elle est un chef d'œuvre de construction industrielle.

....

b. Le palais du Louvre est devenu un musée ; il a perdu sa fonction de lieu de pouvoir.

....

c. Le monastère royal de Brou a été élu monument préféré des Français ; il attire un public nombreux, français et étranger.

....

d. Le village de Pérouges a été préservé dans son état moyenâgeux ; il a servi de cadre à de nombreux films historiques.

....

e. Le quartier Saint-Jean à Lyon a été inscrit par l'UNESCO au patrimoine mondial de l'Humanité ; c'est un magnifique ensemble de bâtiments de l'époque de la Renaissance.

....

f. Les quais de la Garonne à Bordeaux ont été magnifiquement restaurés ; ils participent du nouvel attrait pour la ville.

....

Unité 9 - Leçon 3 - Juger une réalisation locale

Oral

 1. Vérifiez la compréhension de la séquence radio « Le MUCEM de Marseille » (Livre de l'élève, p. 138).
N° 86 Répondez aux questions.

a. Que veut dire MUCEM ?

....

b. Qui est Rudy Ricciotti ?

....

c. Le MUCEM, c'est trois sites : lesquels ?

....

d. Qu'est-ce qui caractérise le nouveau bâtiment ?

....

e. Qu'est-ce qu'on peut voir au MUCEM ?

....

f. Donnez des exemples des deux représentations de la Méditerranée.

1. Une mer qui fait peur : ....

2. Un lac européen pacifié : ....

 2. Écoutez. Distinguez les sons [s] et [ʃ] , [z] et [ʒ]. Cochez.
N° 87

	[s]	[ʃ]	[z]	[ʒ]
Comment tu trouves ?				
C'est chouette.				
C'est charmant.				
C'est chic.				
C'est chez toi ?				
Je suis émerveillé !				
Quel joli paysage !				
Comme un désert de sable rose				
Comme les chutes du Zambèze				
Bien loin du clocher de mon village !				

Vocabulaire

1. Apprenez le vocabulaire.

Abolition (n. f.)	Adhérer (v.) ....
Fondation (n. f.)	Élire (v.) ....
Suppression (n. f.)	Résider (v.) ....
Instauration (n. f.)	Appliquer (s') (v.) ....
Département (n. m.)	Engager (s') (v.) ....
Communauté (n. f.)	Fédéral (adj.) ....
Canton (n. m.)	Constitutionnel (adj.) ....
Conseiller (n. m.)	Municipal (adj.) ....
Député (n. m.)	Régional (adj.) ....
Compatriote (n. m.)	Indépendant (adj.) ....
Circonscription (n. f.)	Autonome (adj.) ....
Permanence (n. f.)	Associatif (adj.) ....
Lutte (n. f.)	Parlementaire (adj.) ....
Spécialisation (n. f.)	Opérationnel (adj.) ....
Commission (n. f.)	Prudent (adj.) ....
Expatrié (n. m.)	

2. Vérifiez la compréhension du reportage vidéo « Députée : au service de la communauté française » (Livre de l'élève, p. 141). Vrai ou Faux ?

	VRAI	FAUX
a. Avant d'être députée, Claudine Schmid présidait une association de Français résidant à l'étranger.	☐	☐
b. Elle est à Paris du lundi au jeudi.	☐	☐
c. Sa circonscription, c'est la Suisse.	☐	☐
d. Le vendredi, elle parcourt sa circonscription.	☐	☐
e. Un député s'occupe aussi bien de finance que de culture.	☐	☐
f. Elle est attentive à ce que les textes de loi puissent s'appliquer aux Français résidant à l'étranger.	☐	☐
g. Elle a mené en même temps sa vie familiale et son engagement au service de la communauté.	☐	☐

3. Voici les adjectifs, trouvez les substantifs.

a. constitutionnel → .... de la Ve République

b. indépendant → .... de l'Empire colonial français

c. autonome → .... du Québec

d. régional → La France compte 13 ....

e. associatif → .... des maires francophones

f. parlementaire → .... européen

4. Voici les substantifs, trouvez les verbes.

a. l'abolition → .... la monarchie

b. la fondation → .... un nouveau parti politique

c. la suppression → .... le service militaire

d. l'instauration → .... un nouveau droit

e. la lutte → .... pour l'égalité des droits hommes-femmes

f. l'élection → .... le Président de la république

5. Formez des expressions avec les mots de la liste suivante.

populaire ; national ; démocratique ; diplomatique ; parlementaire ; international

a. l'intérêt ....

b. les relations ....

c. le débat ....

d. un régime ....

e. un mouvement ....

f. la coopération ....

6. CORPS ET POLITIQUE. Associez et formez des expressions imagées.

a. le corps   **1.** économie   → ....

b. la tête   **2.** nation   → ....

c. l'âme   **3.** pouvoir   → ....

d. les membres   **4.** État   → ....

e. le poumon   **5.** gouvernement   → ....

f. le cœur   **6.** électoral   → ....

Écrit et civilisation

1. Lisez l'article et répondez aux questions.

Qu'attendez-vous du futur président ?

Bientôt un nouveau locataire à l'Élysée ! Quelle mesure phare aimeriez-vous qu'il prenne pendant son quinquennat ?

Virginie, 52 ans : Favoriser la création d'entreprise.
« Monter sa boîte, c'est vraiment la galère ! Tous mes amis qui se sont lancés ont eu de nombreux problèmes. Toutes les démarches sont compliquées et il y a plein de taxes à payer, même si aucune recette ne rentre : c'est ridicule. Depuis plusieurs années je pense me lancer en freelance, mais l'expérience de mes proches me décourage. Si c'était plus simple, toute l'économie du pays en profiterait. »

Ambre, 28 ans : Plus d'égalité salariale entre les hommes et les femmes.
« Ça me rend dingue qu'en 2017, il y ait encore jusqu'à 25 % de différence de rémunération pour un même poste et avec un niveau de qualification similaire. J'espère que le prochain président trouvera un moyen de rétablir plus d'égalité ! Peut-être qu'il faudrait davantage de transparence sur les salaires dans les entreprises, cela permettrait de comparer plus facilement avec les collègues ! »

Anaïs, 31 ans : La mise en place du salaire universel.
« Cette idée m'emballe et je suis contente qu'elle soit proposée sérieusement, pas comme une idée utopique ! Cela permettrait à chacun de partir avec la même chance dans la vie, d'avoir le choix de travailler un peu, beaucoup ou pas du tout. Je suis certaine que le revenu universel sera appliqué un jour, peut-être plus rapidement qu'on ne le croit. C'est déjà le cas en Finlande ! »

Nathalie, 38 ans : Davantage de vivre ensemble.
« Je trouve qu'il n'y a pas assez de mesures suite aux attentats qui ont frappé la France. Dans certains quartiers, des communautés vivent les unes à côté des autres, sans se fréquenter : c'est dommage ! Je pense qu'enseigner les différentes religions à l'école serait un bon début. Cela permettrait de mieux les connaître et de découvrir les points qui rassemblent. Il faudrait commencer dès les classes primaires. »

Laura, 36 ans : Un coup de pouce pour les étudiants.
« Les jeunes sont souvent mis de côté par les politiques, c'est regrettable. J'aimerais que le prochain président généralise le versement d'une bourse pour ceux qui étudient. Je n'ai bénéficié d'aucune aide pendant mes études, et avoir un boulot alimentaire, en plus de mon travail universitaire, m'a beaucoup pénalisé. Il y aurait beaucoup moins d'échec scolaire si les étudiants n'avaient pas à bosser pour survivre. » […]

Clémence Levasseur, *Marie France*, mai 2017.

Associez chacun de ces domaines à chacune des femmes interrogées.

. scolarité : ....

. égalité homme-femme : ....

. économie : ....

. lien social : ....

. égalité des chances : ....

. Quel constat pour chacune motive leur proposition ?

. Virginie :

....

2. Ambre :

....

3. Anaïs :

....

4. Nathalie :

....

5. Laura :

....

c. Quelle est la mesure phare souhaitée par chacune ?

. Virginie :

....

2. Ambre :

....

3. Anaïs :

....

4. Nathalie :

....

5. Laura :

....

d. Quelle est, selon elles, l'objectif de chacune de ces mesures ?

1. Virginie :

....

2. Ambre :

....

3. Anaïs :

....

4. Nathalie :

....

5. Laura :

....

Vocabulaire

1. **Apprenez le vocabulaire.**

Concertation (n. f.) ....
Consultation (n. f.) ....
Initiative (n. f.) ....
Berge (n. f.) ....
Aire (n. f.) ....
Embouteillage (n. m.) ....
Permis de construire (n. m.) ....

Destination (n. f.) ....
Distributeur (n. m.) ....
Prototype (n. m.) ....
Borne (n. f.) ....
Aménager (v.) ....
Favorable (adj.) ....
Végétalisé (adj.) ....
Asymétrique (adj.) ....

2. **Vérifiez la compréhension des quatre documents (Livre de l'élève, p. 142-143).**
Pour chaque document, relevez les informations suivantes :

	Circulation automobile	Vote des étrangers	Tours Duo	Distributeurs d'histoires
a. Nature de l'initiative				
b. Lieu de l'initiative				
c. Initiateurs				
d. Opposants				
e. Avantages				
f. Inconvénients				
g. Résolution				

3. CARACTÉRISER. **Trouvez le contraire.**

a. Une opinion favorable ≠ ....

b. Une pensée symétrique ≠ ....

c. Une composition architecturale lisible ≠ ....

d. Un dossier complet ≠ ....

e. Une procédure régulière ≠ ....

f. Une situation normale ≠ ....

4. **Relevez dans l'enquête de la mairie de Paris (document 1, Livre de l'élève, p. 142) :**

a. les expressions d'une opinion favorable :

....

....

b. les expressions d'une opinion défavorable :

....

....

5. Qu'est-ce que je fais quand je dis... ? Utilisez les expressions de l'exercice précédent.

a. « Bravo ! C'est exactement ce qu'il fallait faire ! » → ....

b. « Ce n'est absolument pas la manière de faire. » → ....

c. « C'est scandaleux ! Vous n'aviez pas le droit de faire ça ! » → ....

d. « Vous pouvez compter sur mon appui. » → ....

e. « Ça me paraît la bonne démarche ; je ne peux que vous suivre sur ce terrain là. »

→ ....

f. « Je vous le dis, j'ai peur que ce projet tourne mal. » → ....

6. Associez le mot et sa définition.

a. concertation

b. consultation

c. décision

d. proposition

e. solution

f. adhésion

1. résolution

2. accord volontaire

3. soumettre un choix

4. résoudre un problème

5. obtenir un avis

6. rechercher un accord

Oral

N° 88

1. Écoutez le micro-trottoir « Pour ou contre le droit de vote des étrangers non européens aux élections locales ».

	Homme 1	Femme 1	Homme 2	Femme 2	Homme 3
a. Retrouvez :					
1. qui est favorable.					
2. qui n'est pas d'accord.					
b. Dites qui avance l'un ou l'autre de ces arguments.					
1. Ils paient des taxes et des impôts comme tout Français.					
2. La condition première, c'est d'être français.					
3. La France qui ne fait pas assez d'enfants a besoin des immigrés.					
4. Le danger vient de ceux qui ne reconnaissent pas certaines valeurs.					
5. Pour les mêmes devoirs, les mêmes droits.					

COMPRÉHENSION DE L'ORAL

N° 89

Écoutez le reportage « Bibliothèques éphémères pour libre lecture ». Répondez brièvement aux questions avec les mots du document sonore.

Non loin de la médiathèque Aimé Césaire, des boîtes à livres. Une offre en libre-service lancée avec succès il y a deux ans.

1. Qu'est-ce qu'on trouve dans le coin de verdure ?

....

2. Qu'est-ce qu'il y a sur la table et dans le meuble ?

....

3. Comment ça se passe pour lire ?

....

4. Faire circuler les livres, ça veut dire quoi ?

....

5. Comment approvisionner en livres ces bibliothèques éphémères ?

....

COMPRÉHENSION DES ÉCRITS

Lisez puis analysez le document en répondant aux questions.

DONZY, CAPITALE DE L'INDÉCISION

Entre Bourges et le massif du Morvan, c'est leur rôle de baromètre national qui a rendu célèbre les 1 640 habitants de ce village de la Nièvre qui peuvent se vanter d'offrir une photographie presque parfaite du vote français.

En apparence rien ne change à Donzy. […] Depuis la présidentielle de 2007, j'y retrouve les mêmes commerçants, les mêmes figures locales. […] À l'image du pays tout entier, Donzy est en proie à un profond désarroi. Même les convictions les plus solides vacillent.

Patrice Richard, coiffeur et socialiste historique, est furieux contre les frondeurs qui ont saboté le quinquennat de son candidat élu en 2012, François Hollande. Pour la première fois, à 69 ans, il lâchera le PS pour voter Emmanuel Macron. Pierre de Jean, patron de l'entreprise qui fabrique les parapluies du même nom, a voté Sarkozy aux deux dernières présidentielles. « S'il n'y avait pas eu les affaires, j'aurais voté Fillon. Mais maintenant, j'hésite… » Sa femme, Catherine, qui partage ses opinions, a pris une décision radicale : « Je choisis Mélenchon pour ses mesures en faveur du bien-être animal. » D'autres irréconciliables quant à leur valeur trouvent un terrain d'entente inattendu. C'est le cas de Gill et John. […] Ces deux Anglais naturalisés français optent pour le même candidat : Hamon. Le gagnant de la primaire de gauche réussit l'exploit de rassembler le sarko-thatchérien endurci et la militante qui a voté Eva Joly en 2012. « C'est le seul qui nous permet de rester fidèles à notre engagement écolo ». […]

Déroutant, le maire indépendant divers droite Jean-Paul Jacob a donné son parrainage à Rama Yade « pour permettre à une autre femme d'être candidate ». Elle n'a pas eu ses 500 signatures. Par élimination, il apportera sa voix à Fillon. À Donzy, la volatilité des intentions de vote affole les boussoles ; […] Alain Phily, élu municipal non encarté, reconnaît : « Je suis un centriste qui a toujours voté tantôt à droite, tantôt à gauche. Pour une fois, je vais voter au centre. Encore indécis, je me dirige plutôt vers Macron. »

À Donzy, comme ailleurs, la seule donnée prévisible est la présence du Front national au second tour. Mais là encore, le score de Marine Le Pen emprunte des chemins de traverse quand ce ne sont pas des virages à 180°. Mickaël, 30 ans, est ouvrier agricole. Il a voté pour la première fois en 2007 et roulait alors pour José Bové. « Le seul à pouvoir défendre le monde agricole » disait-il. […] En 2017, il clame haut et fort : « Je veux un changement radical. Je choisis Marine Le Pen. Je cumule deux boulots pour m'en sortir. Je n'emmène pas mes enfants en vacances. Je suis la France qui travaille, que l'on ne regarde pas et qu'on n'écoute pas. »

Florence Saugues, *Paris Match*, 6-12 avril 2017.

1. Où se trouve Donzy ?

....

2. Quelle est la particularité électorale de Donzy ?

....

3. Identifiez les changements d'intention de vote :

a. de gauche vers le centre : ....

b. de droite vers le centre : ....

c. de droite vers la gauche radicale : ....

d. de l'écologie vers le Front national : ....

e. du centre droit ou gauche vers le centre : ....

4. Quels sont les changements les plus contradictoires que vous avez identifiés ?

....

5. En quoi les intentions de vote de Mickaël vous paraissent-elles représentatives d'un véritable désarroi ?

....

PRODUCTION ORALE

1. ENTRETIEN DIRIGÉ
Parlez de vos préoccupations en tant que citoyen.

2. EXERCICE EN INTERACTION
Vous arrivez dans une nouvelle ville et vous vous adressez à une association qui puisse vous renseigner sur les activités développées pour votre communauté d'origine.

3. EXPRESSION D'UN POINT DE VUE
Parité hommes-femmes : une nécessité ? Votre point de vue.

PRODUCTION ÉCRITE

Vous écrivez, pour le bulletin d'une association, un article sur une réalisation qui vous a particulièrement séduite.
(160-180 mots)

....

....

....

....

....

....

....

....

....

....

....

....

....

COMPRÉHENSION DE L'ORAL

 1. Écoutez la piste 32 du Livre de l'élève. Des personnes informent et réagissent à des évènements. Pour chaque personne, indiquez :

	Personne 1	Personne 2	Personne 3	Personne 4	Personne 5	Personne 6	Personne 7	Personne 8
a. quel est le sentiment exprimé								
b. les circonstances qui ont provoqué cette réaction								

2. Vous êtes auditeur/trice. Écoutez le document « Visite à la Ressourcerie » (piste 53 du livre de l'élève) et répondez aux questions.

a. À quoi ressemble la « Ressourcerie » ?

....

b. Qu'est-ce qu'on y trouve ?

....

c. Comment procède l'organisme ?

....

d. Quel principe guide l'action de l'établissement ?

....

e. À quoi correspondent ces chiffres ?

1. 70 : ....

2. 90 : ....

3. 700 : ....

4. 7 : ....

3. Écoutez les 7 annonces de la piste 26 du Livre de l'élève. Pour chacune, trouvez :

	Annonce 1	Annonce 2	Annonce 3	Annonce 4	Annonce 5	Annonce 6	Annonce 7
a. le lieu							
b. le type de transport							
c. le motif de l'annonce							

PRODUCTION ORALE

1. Entretien dirigé

Quel est votre hobby ?

D'où ça vient ? Depuis quand ? Importance ? Regard des autres ?

2. Exercice en interaction

Avec un ami, vous voulez fêter votre réussite à un examen. Mais vous n'êtes d'accord ni sur le comment, ni sur le lieu, et pas non plus sur les personnes à inviter, l'argent que vous voulez dépenser...

3. EXPRESSION D'UN POINT DE VUE

Vous dégagerez les questions soulevées par ce document et vous présenterez votre opinion sous la forme d'un petit exposé de 3 minutes environ.

> Dans les grandes écoles de commerce, les statistiques montrent que les filles sont meilleures que les garçons. Et pourtant leur carrière est un parcours d'obstacles : difficulté de concilier vie familiale et vie professionnelle ; handicap pour leur carrière de la maternité ; dévalorisation des professions où elles sont trop nombreuses. À l'heure où les entreprises mélangent volontiers nationalités, profils de formation, peuvent-elles se permettre de laisser sans propositions toute une partie prometteuse de leurs cadres sous prétexte que ce sont des femmes ?

COMPRÉHENSION DES ÉCRITS

1. Dégagez les informations utiles par rapport à une tâche donnée.

Paul, Achille, Tanguy sont des sportifs accomplis. Ils décident d'aller passer un week-end dans un lieu où ils combineront pratique sportive et détente dans un lieu situé dans un cadre enchanteur.
Paul aime le golf, le cheval, la natation, le soleil de la Provence et il a un goût pour les séjours dans de vieux palaces à l'ancienne. Achille pratique à la fois le cheval et l'aviron. Il aime bien les séjours dans des maisons d'hôtes situées dans des demeures anciennes et les espaces de remise en forme. Tanguy est un passionné d'aviron mais fait aussi de temps en temps du cheval, qu'il a pratiqué il y a quelques années à un haut niveau. Il aime les séjours dans des hôtels qui offrent de beaux points de vue et qui proposent aussi des espaces de remise en forme.

Lisez les offres de séjour. Pour chacun des amis et pour chacune des offres, cochez la case « qui convient » (+) ou « qui ne convient pas » (–).

Escapades / Séjours sportifs

Au fil de l'eau
Après avoir contemplé les eaux scintillantes du lac d'Annecy depuis le plus incroyable établissement de la Venise des Alpes, *l'Impérial Palace*, vous pourrez vous adonner à la pratique de l'aviron au sein du club d'Annecy-le-Vieux à seulement quelques pas de l'établissement. Une manière de voguer sur le lac le plus pur d'Europe !

Galopades en Drôme provençale
Au cœur d'une bâtisse en pierres d'Estaillades du XVIIe siècle, les domaines de *Patras* avec leur magnifique piscine vous accueillent pour un séjour ultra-cosy dans l'une de leurs coquettes chambres d'hôtes. Ici, vous trouverez une écurie de standing où vous pourrez pratiquer ou vous perfectionner en dressage jusqu'à un niveau de concours international.

Swing face au Mont-Blanc
Venez golfer sur l'un des plus incroyables parcours de la région Rhône-Alpes, à Chamonix. Après l'effort, vous filerez vous reposer à l'hôtel *Morgane* doté d'un agréable spa où un massage « Deep and swing » vous attendra pour prolonger la journée en douceur.

	Paul		Achille		Tanguy	
	convient (+)	ne convient pas (–)	convient (+)	ne convient pas (–)	convient (+)	ne convient pas (–)
a. Hôtel Impérial						
b. Domaine des Patras						
c. Hôtel Morgane						
d. Lac d'Annecy						
e. Drôme provençale						
f. Mont-Blanc						
g. Aviron						
h. Cheval						
i. Golf						

2. Lisez puis analysez le document en répondant aux questions.

Appli, ma belle appli, aide-moi à être la plus belle

Nouveaux gadgets ou marchés d'avenir ? La beauté connectée s'impose aussi bien dans les boutiques, où les consommatrices peuvent essayer virtuellement du maquillage et du vernis à ongles, que dans de nouvelles gammes d'objets, toujours plus sophistiqués et personnalisés. Grâce à la collecte massive de données sur leurs clientes – destinées à détecter les futures tendances –, des services sur Internet et des applications téléphoniques s'insèrent dans de nouveaux rituels de beauté. Ils constituent aussi une condition sine qua non pour rajeunir l'image des groupes de cosmétique.

« *Après l'ancien digital – les sites Internet, l'engouement pour les youtubeuses, les blogueuses – arrive la beauté connectée, avec ses interfaces digitales interactives entre les consommatrices et les marques de beauté. Ces objets et ces applications obéissent davantage à une problématique communautaire et structurante qu'à une réelle recherche d'augmentation de chiffres d'affaires.* » assure l'expert Nicolas Boulanger du cabinet L&CPG. Un peu comme pour les marques de sports, il s'agit selon lui d'engranger un maximum de données sur les consommatrices, pour « *renouer le lien avec elles, proposer des services additionnels que n'offrent pas encore leurs concurrents et développer une communauté.* »

La grande partie de ces nouveautés éclot dans des start-ups. [...] Des objets, de nouvelles machines, mais aussi de simples applications... Image Metrics, une autre start-up californienne de réalité augmentée, s'est focalisée pour L'Oréal sur l'analyse et la reconnaissance faciale. L'application numérique Makeup Genius fonctionne comme un miroir : elle permet d'appliquer un maquillage sur un visage virtuel en temps réel. Et de tester autant de combinaisons sur un téléphone portable, tout en donnant accès à un système d'achat en ligne. L'expérience a été suffisamment concluante (17 millions de téléchargements depuis 2015) pour être suivie par des déclinaisons équivalentes pour les fonds de teint et les vernis à ongles, aussi bien chez L'Oréal que chez Coty.

Ces applications se multiplient : pour tester de nouvelles coupes de cheveux avant de confier sa tête au coiffeur (HairStyle Makeover), assortir sa coiffure à sa tenue (Uniqlo)... [...]

Pour Mathilde Lion, analyste du secteur Beauté au sein du cabinet NPD, « *toutes ces nouveautés permettent surtout d'aller plus loin dans les conseils, de personnaliser toujours davantage l'offre de soins ou de maquillage. Et aussi de proposer quelque chose de plus ludique pour les jeunes générations.* » [...]

Nicole Vulser, *Le Monde*, 24 juin 2016.

1. **En quoi consiste la beauté connectée ?**

2. **Comment ça marche ?**

3. **Qu'est-ce que ça remplace ?**

4. **Quel est l'objectif des marques ?**

5. **Quels sont les domaines d'application de ces applications numériques ?**

6. **Ces applications connaissent-elles le succès ?**

7. **Quel est l'objectif final de toutes ces nouveautés selon Mathilde Lion ?**

PRODUCTION ÉCRITE

Vous répondez à une enquête d'un journal sur la manière dont les gens vivent leur appartenance à un monde de plus en plus connecté.
« Adhésion, crainte, réticences, quelles réflexions vous inspirent l'appartenance à un monde de plus en plus connecté dans lequel la vie privée, personnelle, de l'individu est de plus en plus exposée et de moins en moins protégée ? »
Vous rédigez un témoignage. (Entre 160 et 180 mots)

Crédits photographiques (de gauche à droite et de haut en bas) :

p. 6 : VadimGuzhva/AdobeStock – **p. 9 :** Thomas/AdobeStock – **p. 10 :** vvoe/Shutterstock.com – **p. 11 :** ktasimar/AdobeStock ; biskariot/AdobeStock – **p. 14 :** Patrick J./AdobeStock – **p. 17 :** by-studio/AdobeStock – **p. 23 :** Cigdem/AdobeStock – **p. 29 :** Maksym Yemelyanov/AdobeStock ; kange_one/AdobeStock – **p. 30 :** olly/AdobeStock – **p. 33 :** vladstar/AdobeStock – **p. 35 :** zheltobriukh/AdobeStock ; efired/AdobeStock – **p. 39 :** niroworld/AdobeStock – **p. 42 :** olly/AdobeStock – **p. 46 :** Andrew Bayda/AdobeStock – **p. 52 :** chiyacat/AdobeStock – **p. 54 :** Thomas Pajot/AdobeStock – **p. 55 :** costazzurra/AdobeStock – **p. 56 :** ÉDITIONS DE LA MARTINIÈRE/Bonne Pioche – **p. 61 :** Bianchetti/Leemage ; EQRoy/Shutterstock.com – **p. 62 :** pressmaster/AdobeStock – **p. 67 :** pressmaster/AdobeStock – **p. 74 :** violad/AdobeStock – **p. 84 :** HaveZein/AdobeStock – **p. 90 :** Bernd Kröger/AdobeStock ; Davizro Photography/AdobeStock ; MangAllyPop@ER/AdobeStock ; Richard Villalon/AdobeStock ; Ricochet64/AdobeStock ; alternative photo/AdobeStock – **p. 93 :** Bojan/AdobeStock – **p. 94 :** Collection Christophel T® Curiosa films / Memento films ; Firma V/AdobeStock – **p. 97 :** Jérôme Rommé/Fotolia – **p. 105 :** rogez/AdobeStock – **p. 106 :** Joshua Resnick/AdobeStock – **p. 110 :** oni/AdobeStock ; Photo Coll. BIS/ Archives SEJER – **p. 113 :** peshkov/AdobeStock – **p. 116 :** Tinxi/Shutterstock.com – **p. 122 :** hitman1234/AdobeStock – **p. 126 :** Kenishirotie/AdobeStock – **p. 128 :** ldprod/AdobeStock – **p. 129 :** Elena Alexandrova et Eric Allouche – **p. 135 :** Production Perig/AdobeStock – **p. 144 :** shocky/AdobeStock – **p. 148 :** morane/AdobeStock – **p. 158 :** George Dolgikh/AdobeStock

Achevé d'imprimer en Italie par ⚞ Grafica Veneta S.p.A. en mars 2022

N° de projet : 10282370